Manife

[Was bedeutet das alles?]

Karl Marx / Friedrich Engels

Manifest der Kommunistischen Partei

Friedrich Engels

Grundsätze des Kommunismus

Reclam

7. Auflage

RECLAMS UNIVERSAL-BIBLIOTHEK Nr. 19266
2014 Philipp Reclam jun. GmbH & Co. KG,
Siemensstraße 32, 71254 Ditzingen
Gestaltung: Cornelia Feyll, Friedrich Forssman
Druck und Bindung: Kösel GmbH & Co. KG,
Am Buchweg 1, 87452 Altusried-Krugzell
Printed in Germany 2019

ISBN 978-3-15-019266-5

Auch als E-Book erhältlich

www.reclam.de

Inhalt

Vorwort
[zur deutschen Ausgabe des »Manifestes der Kommunistischen Partei« von 1872]

Der Bund der Kommunisten, eine internationale Arbeiterverbindung, die unter den damaligen Verhältnissen selbstredend nur eine geheime sein konnte, beauftragte auf dem in London im November 1847 abgehaltenen Kongresse[1] die Unterzeichneten mit der Abfassung eines für die Öffentlichkeit bestimmten, ausführlichen theoretischen und praktischen Parteiprogramms. So entstand das nachfolgende »Manifest«, dessen Manuskript wenige Wochen vor der Februarrevolution[2] nach London zum Druck wanderte. Zuerst deutsch veröffentlicht, ist es in dieser Sprache in Deutschland, England und Amerika in mindestens zwölf verschiedenen Ausgaben abgedruckt worden. Englisch erschien es zuerst 1850 in London im »Red Republican«, übersetzt von Miss Helen Macfarlane, und 1871 in wenigstens drei verschiedenen Übersetzungen in Amerika. Französisch zuerst in Paris kurz vor der Juni-Insurrektion 1848, neuerdings in »Le Socialiste« von New York. Eine neue Übersetzung wird vorbereitet. Polnisch in London kurz nach seiner ersten deutschen Herausgabe. Russisch in Genf in den sechziger Jahren. Ins Dänische wurde es ebenfalls bald nach seinem Erscheinen übersetzt.

Wie sehr sich auch die Verhältnisse in den letzten fünfundzwanzig Jahren geändert haben, die in diesem »Manifest« entwickelten allgemeinen Grundsätze behalten im ganzen und großen auch heute noch ihre volle Richtigkeit. Einzelnes wäre

1 Auf dem zweiten Kongress des »Bundes der Kommunisten« (vorher: »Bund der Gerechten«) vom 29. 11. bis 8. 12. 1847 in London.
2 Februarrevolution 1848 in Frankreich.

hier und da zu bessern. Die praktische Anwendung dieser Grundsätze, erklärt das »Manifest« selbst, wird überall und jederzeit von den geschichtlich vorliegenden Umständen abhängen, und wird deshalb durchaus kein besonderes Gewicht auf die am Ende von Abschnitt II vorgeschlagenen revolutionären Maßregeln gelegt. Dieser Passus würde heute in vieler Beziehung anders lauten. Gegenüber der immensen Fortentwicklung der großen Industrie in den letzten fünfundzwanzig Jahren und der mit ihr fortschreitenden Parteiorganisation der Arbeiterklasse, gegenüber den praktischen Erfahrungen, zuerst der Februarrevolution und noch weit mehr der Pariser Kommune[1], wo das Proletariat zum ersten Mal zwei Monate lang die politische Gewalt innehatte, ist heute dies Programm stellenweise veraltet. Namentlich hat die Kommune den Beweis geliefert, dass »die Arbeiterklasse nicht die fertige Staatsmaschine einfach in Besitz nehmen und sie für ihre eignen Zwecke in Bewegung setzen kann«. (Siehe »Der Bürgerkrieg in Frankreich. Adresse des Generalrats der Internationalen Arbeiter-Association«, deutsche Ausgabe, S. 19, wo dies weiter entwickelt ist.) Ferner ist selbstredend, dass die Kritik der sozialistischen Literatur für heute lückenhaft ist, weil sie nur bis 1847 reicht; ebenso dass die Bemerkungen über die Stellung der Kommunisten zu den verschiedenen Oppositionsparteien (Abschnitt IV), wenn in den Grundzügen auch heute noch richtig, doch in ihrer Ausführung heute schon deswegen veraltet sind, weil die politische Lage sich total umgestaltet und die geschichtliche Entwicklung die meisten der dort aufgezählten Parteien aus der Welt geschafft hat.

Indes, das »Manifest« ist ein geschichtliches Dokument, an dem zu ändern wir uns nicht mehr das Recht zuschreiben. Eine

1 Während des Deutsch-Französischen Krieges 1870/71 gebildeter revolutionärer Stadtrat (Vorbild für spätere Rätedemokratien).

spätere Ausgabe erscheint vielleicht begleitet von einer den Abstand von 1847 bis jetzt überbrückenden Einleitung; der vorliegende Abdruck kam uns zu unerwartet, um uns Zeit dafür zu lassen.

London, 24. Juni 1872
Karl Marx *Friedrich Engels*

Vorrede
[zur russischen Ausgabe von 1882[1]]

Die erste russische Ausgabe des »Manifestes der Kommunistischen Partei«, übersetzt von Bakunin[2], erschien anfangs der sechziger Jahre in der Druckerei des »Kolokol«. Der Westen konnte damals in ihr (der *russischen* Ausgabe des »Manifestes«) nur ein literarisches Kuriosum sehn. Solche Auffassung wäre heute unmöglich.

Welch beschränktes Gebiet damals (Dezember 1847) die proletarische Bewegung noch einnahm, zeigt am klarsten das Schlusskapitel des »Manifests«: Stellung der Kommunisten zu den verschiedenen Oppositionsparteien in den verschiedenen Ländern. Hier fehlen nämlich grad – Russland und die Vereinigten Staaten. Es war die Zeit, wo Russland die letzte große Reserve der europäischen Gesamtreaktion bildete; wo die Vereinigten Staaten die proletarische Überkraft Europas durch Einwanderung absorbierten. Beide Länder versorgten Europa mit Rohprodukten und waren zugleich Absatzmärkte seiner Industrieerzeugnisse. Beide Länder waren damals also, in dieser oder jener Weise, Säulen der bestehenden europäischen Ordnung.

Wie ganz anders heute! Grade die europäische Einwanderung befähigte Nordamerika zu einer riesigen Ackerbauproduktion, deren Konkurrenz das europäische Grundeigentum – großes wie kleines – in seinen Grundfesten erschüttert. Sie

1 Der Text dieser von Marx und Engels verfassten Vorrede folgt dem von Engels in deutscher Sprache geschriebenen Original.

2 Michail Alexandrowitsch Bakunin (1814–1876), wichtiger Denker der anarchistischen Bewegung, entstammte einer Familie aus dem russischen Adel.

erlaubte zudem den Vereinigten Staaten, ihre ungeheuren industriellen Hülfsquellen mit einer Energie und auf einer Stufenleiter auszubeuten, die das bisherige industrielle Monopol Westeuropas und namentlich Englands binnen kurzem brechen muss. Beide Umstände wirken revolutionär auf Amerika selbst zurück. Das kleinere und mittlere Grundeigentum der Farmers, die Basis der ganzen politischen Verfassung, erliegt nach und nach der Konkurrenz der Riesenfarms; in den Industriebezirken entwickelt sich gleichzeitig zum erstenmal ein massenhaftes Proletariat und eine fabelhafte Konzentration der Kapitalien.

Und nun Russland! Während der Revolution von 1848/49 fanden nicht nur die europäischen Fürsten, auch die europäischen Bourgeois in der russischen Einmischung die einzige Rettung vor dem eben erst erwachenden Proletariat. Der Zar wurde als Chef der europäischen Reaktion proklamiert. Heute ist er Kriegsgefangner der Revolution in Gatschina[1], und Russland bildet die Vorhut der revolutionären Aktion von Europa.

Das »Kommunistische Manifest« hatte zur Aufgabe, die unvermeidlich bevorstehende Auflösung des modernen bürgerlichen Eigentums zu proklamieren. In Russland aber finden wir, gegenüber rasch aufblühendem kapitalistischen Schwindel und sich eben erst entwickelndem bürgerlichen Grundeigentum, die größere Hälfte des Bodens im Gemeinbesitz der Bauern. Es fragt sich nun: Kann die russische Obschtschina, eine wenn auch stark untergrabene Form des uralten Gemeinbesitzes am Boden, unmittelbar in die höhere des kommunistischen Gemeinbesitzes übergehn? Oder muss sie umgekehrt vorher denselben Auflösungsprozess durchlaufen, der die geschichtliche Entwicklung des Westens ausmacht?

1 Stadt ca. 45 km südlich von St. Petersburg.

Die einzige Antwort hierauf, die heutzutage möglich, ist die: Wird die russische Revolution das Signal einer proletarischen Revolution im Westen, so dass beide einander ergänzen, so kann das jetzige russische Gemeineigentum am Boden zum Ausgangspunkt einer kommunistischen Entwicklung dienen.

London, 21. Januar 1882
Karl Marx F. Engels

Vorwort
[zur deutschen Ausgabe von 1883]

Das Vorwort zur gegenwärtigen Ausgabe muss ich leider allein unterschreiben. Marx, der Mann, dem die gesamte Arbeiterklasse Europas und Amerikas mehr verdankt als irgendeinem anderen – Marx ruht auf dem Friedhof zu Highgate, und über sein Grab wächst bereits das erste Gras. Seit seinem Tode kann von einer Umarbeitung oder Ergänzung des »Manifestes« erst recht keine Rede mehr sein. Für um so nötiger halte ich es, hier nochmals das Folgende ausdrücklich festzustellen.

Der durchgehende Grundgedanke des »Manifestes«: dass die ökonomische Produktion und die aus ihr mit Notwendigkeit folgende gesellschaftliche Gliederung einer jeden Geschichtsepoche die Grundlage bildet für die politische und intellektuelle Geschichte dieser Epoche; dass demgemäß (seit Auflösung des uralten Gemeinbesitzes an Grund und Boden) die ganze Geschichte eine Geschichte von Klassenkämpfen gewesen ist, Kämpfen zwischen ausgebeuteten und ausbeutenden, beherrschten und herrschenden Klassen auf verschiedenen Stufen der gesellschaftlichen Entwicklung; dass dieser Kampf aber jetzt eine Stufe erreicht hat, wo die ausgebeutete und unterdrückte Klasse (das Proletariat) sich nicht mehr von der sie ausbeutenden und unterdrückenden Klasse (der Bourgeoisie) befreien kann, ohne zugleich die ganze Gesellschaft für immer von Ausbeutung, Unterdrückung und Klassenkämpfen zu befreien – dieser Grundgedanke gehört einzig und ausschließlich Marx an.*

* »Diesem Gedanken«, sage ich in der Vorrede zur englischen Übersetzung, »der nach meiner Ansicht berufen ist, für die Geschichtswissenschaft denselben Fortschritt zu begründen, den Darwins

Ich habe das schon oft ausgesprochen; es ist aber gerade jetzt nötig, dass es auch vor dem »Manifest« selbst steht.

London, 28. Juni 1883
F. Engels

Theorie für die Naturwissenschaft begründet hat – diesem Gedanken hatten wir beide uns schon mehrere Jahre vor 1845 allmählich genähert. Wieweit ich selbständig mich in dieser Richtung voranbewegt, zeigt meine *Lage der arbeitenden Klasse in England.* Als ich aber im Frühjahr 1845 Marx in Brüssel wiedertraf, hatte er ihn fertig ausgearbeitet und legte ihn mir vor in fast ebenso klaren Worten wie die, worin ich ihn oben zusammengefasst.« [*Von Engels nachträglich eingefügte Anmerkung zur deutschen Ausgabe von 1890.*]

Vorrede
[zur englischen Ausgabe von 1888]

Das »Manifest« wurde als Plattform des »Bundes der Kommunisten« veröffentlicht, einer anfangs ausschließlich deutschen, später internationalen Arbeiterassoziation, die unter den politischen Verhältnissen des europäischen Kontinents vor 1848 unvermeidlich eine Geheimorganisation war. Auf dem Kongress des Bundes, der im November 1847 in London stattfand, wurden Marx und Engels beauftragt, die Veröffentlichung eines vollständigen theoretischen und praktischen Parteiprogramms in die Wege zu leiten. In deutscher Sprache abgefasst, wurde das Manuskript im Januar 1848, wenige Wochen vor der französischen Revolution vom 24. Februar, nach London zum Druck geschickt. Eine französische Übersetzung wurde kurz vor der Juni-Insurrektion von 1848 in Paris herausgebracht. Die erste englische Übersetzung, von Miss Helen Macfarlane besorgt, erschien 1850 in George Julian Harneys »Red Republican« in London. Auch eine dänische und eine polnische Ausgabe wurden veröffentlicht.

Die Niederschlagung der Pariser Juni-Insurrektion von 1848 – dieser ersten großen Schlacht zwischen Proletariat und Bourgeoisie – drängte die sozialen und politischen Bestrebungen der Arbeiterklasse Europas zeitweilig wieder in den Hintergrund. Seitdem spielte sich der Kampf um die Vormachtstellung wieder, wie in der Zeit vor der Februarrevolution, allein zwischen verschiedenen Gruppen der besitzenden Klasse ab; die Arbeiterklasse wurde beschränkt auf einen Kampf um politische Ellbogenfreiheit und auf die Position eines äußersten linken Flügels der radikalen Bourgeoisie. Wo selbständige proletarische Bewegungen fortfuhren, Lebenszeichen von sich zu geben, wurden sie erbarmungslos niedergeschlagen. So spürte die preußische Polizei die Zentralbehörde des Bundes der Kommunisten auf, die damals ihren Sitz in Köln hatte. Die Mitglieder wurden verhaftet und nach achtzehnmonatiger Haft im Oktober 1852 vor Gericht gestellt. Dieser berühmte »Kölner Kommunistenprozess« dauerte vom 4. Oktober bis 12. November; sieben von den Gefangenen wurden zu Festungshaft für die Dauer von drei bis sechs Jahren verurteilt. Sofort nach dem Urteilsspruch wurde der Bund durch die noch verbliebenen Mitglieder formell aufgelöst. Was das »Manifest« anbelangt, so schien es von da an verdammt zu sein, der Vergessenheit anheimzufallen.

Als die europäische Arbeiterklasse wieder genügend Kraft zu einem neuen Angriff auf die herrschende Klasse gesammelt hatte, entstand die Internationale Arbeiterassoziation. Aber diese Assoziation, die ausdrücklich zu dem Zwecke gegründet wurde, das gesamte kampfgewillte Proletariat Europas und Amerikas zu einer einzigen Körperschaft zusammenzuschweißen, konnte die im »Manifest« niedergelegten Grundsätze nicht sofort proklamieren. Die Internationale musste ein Programm haben, breit genug, um für die englischen Trade-Unions, für die französischen, belgischen, italienischen und spanischen Anhänger Proudhons[1] und für die Lassalleaner[*/2] in Deutschland annehmbar zu sein. Marx, der dieses Pro-

* Lassalle persönlich bekannte sich uns gegenüber stets als Schüler von Marx und stand als solcher auf dem Boden des *Manifests*. Jedoch ging er in seiner öffentlichen Agitation in den Jahren 1862 bis 1864 über die Forderung nach Produktivgenossenschaften mit Staatskredit nicht hinaus.

1 Pierre-Joseph Proudhon (1809–1865), franz. Soziologe und Ökonom, Anarchist (»Eigentum ist Diebstahl!«).

2 Ferdinand Lassalle (1825–1864), sozialistischer Politiker.

gramm zur Zufriedenheit aller Parteien abfasste, hatte volles Vertrauen zur intellektuellen Entwicklung der Arbeiterklasse, einer Entwicklung, wie sie aus der vereinigten Aktion und gemeinschaftlichen Diskussion notwendig hervorgehen musste. Die Ereignisse und Wechselfälle im Kampf gegen das Kapital, die Niederlagen noch mehr als die Siege, konnten nicht verfehlen, den Menschen die Unzulänglichkeit ihrer diversen Lieblings-Quacksalbereien zum Bewusstsein zu bringen und den Weg zu vollkommenerer Einsicht in die wirklichen Voraussetzungen der Emanzipation der Arbeiterklasse zu bahnen. Und Marx hatte recht. Als im Jahre 1874 die Internationale zerfiel, ließ sie die Arbeiter schon in einem ganz anderen Zustand zurück, als sie sie bei ihrer Gründung im Jahre 1864 vorgefunden hatte. Der Proudhonismus in Frankreich, der Lassalleanismus in Deutschland waren im Absterben, und auch die konservativen englischen Trade-Unions näherten sich, obgleich sie in ihrer Mehrheit die Verbindung mit der Internationale schon längst gelöst hatten, allmählich dem Punkt, wo ihr Präsident im vergangenen Jahre in Swansea in ihrem Namen erklären konnte: »Der kontinentale Sozialismus hat seine Schrecken für uns verloren.« In der Tat: Die Grundsätze des »Manifests« hatten unter den Arbeitern aller Länder erhebliche Fortschritte gemacht.

Auf diese Weise trat das »Manifest« selbst wieder in den Vordergrund. Der deutsche Text war seit 1850 in der Schweiz, in England und in Amerika mehrmals neu gedruckt worden. Im Jahre 1872 wurde es ins Englische übersetzt, und zwar in New York, wo die Übersetzung in »Woodhull and Claflin's Weekly« veröffentlicht wurde. Auf Grund dieser englischen Fassung wurde in »Le Socialiste« in New York auch eine französische angefertigt. Seitdem sind in Amerika noch mindestens zwei englische Übersetzungen, mehr oder minder entstellt, herausgebracht worden, von denen eine in England nachgedruckt wurde. Die von Bakunin[1] besorgte erste russische Übersetzung wurde etwa um das Jahr 1863 in der Druckerei von Herzens »Kolokol« in Genf herausgegeben, eine zweite, gleichfalls in Genf, von der heldenhaften Vera Sassulitsch[2], 1882. Eine neue dänische Ausgabe findet sich in der »Socialdemokratisk Bibliothek«, Kopenhagen 1885; eine neue französische Übersetzung in »Le Socialiste«, Paris 1886[3]. Nach dieser letzteren wurde eine spanische Übersetzung vorbereitet und 1886 in Madrid veröffentlicht. Die Zahl der deutschen Nachdrucke lässt sich nicht genau angeben, im ganzen waren es mindestens zwölf. Eine Übertragung ins Armenische, die vor einigen Monaten in Konstantinopel herauskommen sollte, erblickte nicht das Licht der Welt, weil, wie man mir mitteilte, der Verleger nicht den Mut hatte, ein Buch herauszubringen, auf dem der Name Marx stand, während der Übersetzer es ablehnte, es als sein eigenes Werk zu bezeichnen. Von weiteren Übersetzungen in andere Sprachen habe ich zwar gehört, sie aber nicht zu Gesicht bekommen. So spiegelt die Geschichte des »Manifestes« in hohem Maße die Geschichte der modernen Arbeiterbewegung wider; gegenwärtig ist es zweifellos das weitest verbreitete, internationalste Werk der ganzen sozialistischen Literatur, ein gemeinsames Programm, das von Millionen Arbeitern von Sibirien bis Kalifornien anerkannt wird.

Und doch hätten wir es, als es geschrieben wurde, nicht ein *sozialistisches* Manifest nennen können. Unter Sozialisten verstand man 1847 einerseits die Anhänger der verschiedenen uto-

1 Vgl. Anm. 2, S. 10.

2 Vera Iwanowa Sassulitsch (1849–1919), Autorin, unterstützte Bakunin.

3 Die französische Übersetzung erschien in *Le Socialiste* bereits 1885.

pistischen Systeme: die Owenisten[1] in England, die Fourieristen[2] in Frankreich, die beide bereits zu bloßen, allmählich aussterbenden Sekten zusammengeschrumpft waren; andererseits die mannigfaltigsten sozialen Quacksalber, die mit allerhand Flickwerk, ohne jede Gefahr für Kapital und Profit, die gesellschaftlichen Missstände aller Art zu beseitigen versprachen – in beiden Fällen Leute, die außerhalb der Arbeiterbewegung standen und eher Unterstützung bei den »gebildeten« Klassen suchten. Derjenige Teil der Arbeiterklasse, der sich von der Unzulänglichkeit bloßer politischer Umwälzungen überzeugt hatte und die Notwendigkeit einer totalen Umgestaltung der Gesellschaft forderte, dieser Teil nannte sich damals kommunistisch. Es war eine noch rohe, unbehauene, rein instinktive Art Kommunismus; aber er traf den Kardinalpunkt und war in der Arbeiterklasse mächtig genug, um den utopischen Kommunismus zu erzeugen, in Frankreich den von Cabet[3], in Deutschland den von Weitling[4]. So war denn 1847 Sozialismus eine Bewegung der Mittelklasse, Kommunismus eine Bewegung der Arbeiterklasse. Der Sozialismus war, auf dem Kontinent wenigstens, »salonfähig«, der Kommunismus war das gerade Gegenteil. Und da wir von allem Anfang an der Meinung waren, dass »die Emanzipation der Arbeiterklasse das Werk der Arbeiterklasse selbst sein

1 Die Owenisten setzten sich nach den Lehren von Robert Owen (1771–1858), dem Begründer des Genossenschaftswesens, für gute Arbeitsbedingungen und gegen Kinderarbeit ein.
2 Anhänger von Charles Fourier (1772–1837), der den Frühkapitalismus scharf kritisierte, sich aber nachdrücklich gegen jede politische Vereinheitlichung wendete.
3 Étienne Cabet (1788–1856), franz. Publizist und Sozialist.
4 Wilhelm Weitling (1808–1871), einer der ersten Theoretiker des Kommunismus, gründete den »Bund der Gerechten«, aus dem dann der »Bund der Kommunisten« wurde.

muss«, so konnte kein Zweifel darüber bestehen, welchen der beiden Namen wir wählen mussten. Ja noch mehr, auch seitdem ist es uns nie in den Sinn gekommen, uns von ihm loszusagen.

Obgleich das »Manifest« unser beider gemeinsame Arbeit war, so halte ich mich doch für verpflichtet festzustellen, dass der Grundgedanke, der seinen Kern bildet, Marx angehört. Dieser Gedanke besteht darin: dass in jeder geschichtlichen Epoche die vorherrschende wirtschaftliche Produktions- und Austauschweise und die aus ihr mit Notwendigkeit folgende gesellschaftliche Gliederung die Grundlage bildet, auf der die politische und die intellektuelle Geschichte dieser Epoche sich aufbaut und aus der allein sie erklärt werden kann; dass demgemäß die ganze Geschichte der Menschheit (seit Aufhebung der primitiven Gentilordnung[1] mit ihrem Gemeinbesitz an Grund und Boden) eine Geschichte von Klassenkämpfen gewesen ist, Kämpfen zwischen ausbeutenden und ausgebeuteten, herrschenden und unterdrückten Klassen; dass die Geschichte dieser Klassenkämpfe eine Entwicklungsreihe darstellt, in der gegenwärtig eine Stufe erreicht ist, wo die ausgebeutete und unterdrückte Klasse – das Proletariat – ihre Befreiung vom Joch der ausbeutenden und herrschenden Klasse – der Bourgeoisie – nicht erreichen kann, ohne zugleich die ganze Gesellschaft ein für allemal von aller Ausbeutung und Unterdrückung, von allen Klassenunterschieden und Klassenkämpfen zu befreien.

Diesem Gedanken, der nach meiner Ansicht berufen ist, für die Geschichtswissenschaft denselben Fortschritt zu begründen, den Darwins[2] Theorie für die Naturwissenschaft begrün-

1 Zusammenleben in Sippen oder Herden.

2 Charles Darwin (1809–1882), britischer Naturgelehrter und Evolutionstheoretiker, der mit seinen Überlegungen um die Abstammung des Menschen und das Überleben des am besten Angepassten berühmt wurde.

det hat – diesem Gedanken hatten wir beide uns schon mehrere Jahre vor 1845 allmählich genähert. Wieweit ich selbständig mich in dieser Richtung voranbewegt, zeigt am besten meine »Lage der arbeitenden Klasse in England«*. Als ich aber im Frühjahr 1845 Marx in Brüssel wiedertraf, hatte er ihn fertig ausgearbeitet und legte ihn mir vor in fast ebenso klaren Worten wie die, worin ich ihn oben zusammengefasst.

Aus unserem gemeinsamen Vorwort zur deutschen Ausgabe von 1872 zitiere ich das Folgende:

»Wie sehr sich auch die Verhältnisse in den letzten fünfundzwanzig Jahren geändert haben, die in diesem ›Manifest‹ entwickelten allgemeinen Grundsätze behalten im ganzen und großen auch heute noch ihre volle Richtigkeit. Einzelnes wäre hier und da zu bessern. Die praktische Anwendung dieser Grundsätze, erklärt das ›Manifest‹ selbst, wird überall und jederzeit von den geschichtlich vorliegenden Umständen abhängen, und wird deshalb durchaus kein besonderes Gewicht auf die am Ende von Abschnitt II vorgeschlagenen revolutionären Maßregeln gelegt. Dieser Passus würde heute in vieler Beziehung anders lauten. Gegenüber der immensen Fortentwicklung der großen Industrie seit 1848 und der sie begleitenden verbesserten und gewachsenen Organisation[1] der Arbeiterklasse, gegenüber den

* »The Condition of the Working Class in England in 1844.« By Frederick Engels. Translated by Florence K. Wischnewetzky [Die Lage der arbeitenden Klasse in England 1844. Von Friedrich Engels. Übersetzt von Florence Kelley Wischnewetzky], New York, Lovell – London, W. Reeves, 1888.

1 Im folgenden beziehen sich Jahreszahlen auf Eingriffe von Engels in den Text in den entsprechenden Ausgaben: Vorwort 1872: »… in den letzten fünfundzwanzig Jahren und der mit ihr fortschreitenden Parteiorganisation …« (statt: »… seit 1848 und der sie begleitenden verbesserten und gewachsenen Organisation …«).

praktischen Erfahrungen, zuerst der Februarrevolution und noch weit mehr der Pariser Kommune, wo das Proletariat zum erstenmal zwei Monate lang die politische Gewalt innehatte, ist heute dies Programm stellenweise veraltet. Namentlich hat die Kommune den Beweis geliefert, dass ›die Arbeiterklasse nicht die fertige Staatsmaschine einfach in Besitz nehmen und sie für ihre eignen Zwecke in Bewegung setzen kann‹. (Siehe ›The Civil War in France. Address of the General Council of the International Working-Men's Association‹, London, Truelove, 1871, p. 15[1], wo dies weiter entwickelt ist.) Ferner ist selbstredend, dass die Kritik der sozialistischen Literatur für heute lückenhaft ist, weil sie nur bis 1847 reicht; ebenso dass die Bemerkungen über die Stellung der Kommunisten zu den verschiedenen Oppositionsparteien (Abschnitt IV), wenn in den Grundzügen auch heute noch richtig, doch in ihrer Ausführung heute schon deswegen veraltet sind, weil die politische Lage sich total umgestaltet und die geschichtliche Entwicklung die meisten der dort aufgezählten Parteien aus der Welt geschafft hat.

Indes, das ›Manifest‹ ist ein geschichtliches Dokument, an dem zu ändern wir uns nicht mehr das Recht zuschreiben.«

Die vorliegende Übersetzung stammt von Herrn Samuel Moore, dem Übersetzer des größten Teils von Marx' »Kapital«. Wir haben sie gemeinsam durchgesehen, und ich habe ein paar Fußnoten zur Erklärung geschichtlicher Anspielungen hinzugefügt.

London, 30. Januar 1888
Friedrich Engels

[Aus dem Englischen.]

1 Karl Marx, *Der Bürgerkrieg in Frankreich. Adresse des Generalrats der Internationalen Arbeiterassoziation.*

Vorwort
[zur deutschen Ausgabe von 1890]

Seit Vorstehendes[1] geschrieben, ist wieder eine neue deutsche Auflage des »Manifestes« nötig geworden, und es hat sich auch allerlei mit dem »Manifest« zugetragen, das hier zu erwähnen ist.

Eine zweite russische Übersetzung – von Vera Sassulitsch – erschien 1882 in Genf; die Vorrede dazu wurde von Marx und mir verfasst. Leider ist mir das deutsche Originalmanuskript abhanden gekommen, ich muss also aus dem Russischen zurückübersetzen, wodurch die Arbeit keineswegs gewinnt. Sie lautet: [...][2]

Eine neue polnische Übersetzung erschien um dieselbe Zeit in Genf: »Manifest komunistyczny«.

Ferner ist eine neue dänische Übersetzung erschienen in »Socialdemokratisk Bibliothek«, København 1885. Sie ist leider nicht ganz vollständig; einige wesentliche Stellen, die dem Übersetzer Schwierigkeit gemacht zu haben scheinen, sind ausgelassen und auch sonst hier und da Spuren von Flüchtigkeit zu bemerken, die um so unangenehmer auffallen, als man der Arbeit ansieht, dass der Übersetzer bei etwas mehr Sorgfalt Vorzügliches hätte leisten können.

1 Engels verweist hier auf sein Vorwort zur deutschen Ausgabe von 1883, vgl. hier S. 13 f.

2 Das deutsche Original der von Engels und Marx verfassten Vorrede zur russischen Ausgabe von 1882 ist mittlerweile aufgefunden worden und wird im Archiv des Instituts für Marxismus-Leninismus in Moskau aufbewahrt. Da der Text dieses Originals auf S. 10–12 des vorliegenden Bandes abgedruckt ist, wird hier auf die Wiedergabe der Rückübersetzung verzichtet.

1886 erschien eine neue französische Übersetzung in »Le Socialiste«, Paris[1]; es ist die beste bisher erschienene.

Nach ihr wurde im selben Jahr eine spanische Übertragung zuerst im Madrider »El Socialista« und dann als Broschüre veröffentlicht: »Manifiesto del Partido Comunista« por Carlos Marx y F. Engels, Madrid, Administración de »El Socialista«. Hernán Cortés 8.

Als Kuriosum erwähne ich noch, dass 1887 das Manuskript einer armenischen Übersetzung einem konstantinopolitanischen Verleger angeboten wurde; der gute Mann hatte jedoch nicht den Mut, etwas zu drucken, worauf der Name Marx stand, und meinte, der Übersetzer solle sich lieber selbst als Verfasser nennen, was dieser jedoch ablehnte.

Nachdem bald die eine, bald die andere der mehr oder minder unrichtigen amerikanischen Übersetzungen mehrfach in England wieder abgedruckt worden, erschien endlich eine authentische Übersetzung im Jahre 1888. Sie ist von meinem Freund Samuel Moore und vor dem Druck von uns beiden nochmals zusammen durchgesehen. Der Titel ist: »Manifesto of the Communist Party«, by Karl Marx and Frederick Engels. Authorized English Translation, edited and annotated by Frederick Engels, 1888, London, William Reeves, 185 Fleet St. E. C. Einige der Anmerkungen dieser Ausgabe habe ich in die gegenwärtige herübergenommen.

Das »Manifest« hat einen eigenen Lebenslauf gehabt. Im Augenblick seines Erscheinens von der damals noch wenig zahlreichen Vorhut des wissenschaftlichen Sozialismus enthusiastisch begrüßt (wie die in der ersten Vorrede angeführten Übersetzungen[2] beweisen), wurde es bald in den Hintergrund gedrängt durch die mit der Niederlage der Pariser Arbeiter im

1 Vgl. Anm. 3, S. 18.
2 Vgl. S. 7.

Juni 1848 beginnende Reaktion und schließlich »von Rechts wegen« in Acht und Bann erklärt durch die Verurteilung der Kölner Kommunisten, November 1852. Mit dem Verschwinden der, von der Februarrevolution datierenden, Arbeiterbewegung von der öffentlichen Bühne trat auch das »Manifest« in den Hintergrund.

Als die europäische Arbeiterklasse sich wieder hinreichend gestärkt hatte zu einem neuen Anlauf gegen die Macht der herrschenden Klassen, entstand die Internationale Arbeiter-Assoziation. Sie hatte zum Zweck, die gesamte streitbare Arbeiterschaft Europas und Amerikas zu *einem* großen Heereskörper zu verschmelzen. Sie konnte daher nicht *ausgehn* von den im »Manifest« niedergelegten Grundsätzen. Sie musste ein Programm haben, das den englischen Trades Unions, den französischen, belgischen, italienischen und spanischen Proudhonisten[1] und den deutschen Lassalleanern*/[2] die Tür nicht verschloss. Dies Programm – die Erwägungsgründe zu den Statuten der Internationale – wurde von Marx mit einer selbst von Bakunin[3] und den Anarchisten anerkannten Meisterschaft entworfen. Für den schließlichen Sieg der im »Manifest« aufgestellten Sätze verließ sich Marx einzig und allein auf die intellektuelle Entwicklung der Arbeiterklasse, wie sie aus der ver-

* Lassalle bekannte sich persönlich, uns gegenüber, stets als »Schüler« von Marx und stand als solcher selbstredend auf dem Boden des *Manifests.* Anders mit denjenigen seiner Anhänger, die nicht über seine Forderung von Produktivgenossenschaften mit Staatskredit hinausgingen und die ganze Arbeiterklasse einteilten in Staatshülfler und Selbsthülfler.

1 Vgl. Anm. 1, S. 16.
2 Vgl. Anm. 2, S. 16.
3 Vgl. Anm. 2, S. 10.

einigten Aktion und der Diskussion notwendig hervorgehn musste. Die Ereignisse und Wechselfälle im Kampf gegen das Kapital, die Niederlagen noch mehr als die Erfolge, konnten nicht umhin, den Kämpfenden die Unzulänglichkeit ihrer bisherigen Allerweltsheilmittel klarzulegen und ihre Köpfe empfänglicher zu machen für eine gründliche Einsicht in die wahren Bedingungen der Arbeiteremanzipation. Und Marx hatte recht. Die Arbeiterklasse von 1874, bei der Auflösung der Internationale, war eine ganz andre, als die von 1864 bei ihrer Gründung, gewesen war. Der Proudhonismus in den romanischen Ländern, der spezifische Lassalleanismus in Deutschland waren am Aussterben, und selbst die damaligen stockkonservativen englischen Trades Unions gingen allmählich dem Punkt entgegen, wo 1887 der Präsident ihres Kongresses in Swansea in ihrem Namen sagen konnte: »Der kontinentale Sozialismus hat seine Schrecken für uns verloren.« Der kontinentale Sozialismus war aber schon 1887 fast nur noch die Theorie, die im »Manifest« verkündet wird. Und so spiegelt die Geschichte des »Manifests« bis zu einem gewissen Grade die Geschichte der modernen Arbeiterbewegung seit 1848 wider. Gegenwärtig ist es unzweifelhaft das weitest verbreitete, das internationalste Produkt der gesamten sozialistischen Literatur, das gemeinsame Programm vieler Millionen von Arbeitern aller Länder von Sibirien bis Kalifornien.

Und doch, als es erschien, hätten wir es nicht ein *sozialistisches* Manifest nennen dürfen. Unter Sozialisten verstand man 1847 zweierlei Art von Leuten. Einerseits die Anhänger der verschiedenen utopistischen Systeme, speziell die Owenisten[1] in England und die Fourieristen[2] in Frankreich, die beide schon damals zu bloßen, allmählich aussterbenden Sekten zusam-

1 Vgl. Anm. 1, S. 19.
2 Vgl. Anm. 2, S. 19.

mengeschrumpft waren. Andrerseits die mannigfaltigsten sozialen Quacksalber, die mit ihren verschiedenen Allerweltsheilmitteln und mit jeder Art von Flickarbeit die gesellschaftlichen Missstände beseitigen wollten, ohne dem Kapital und dem Profit im geringsten wehe zu tun. In beiden Fällen: Leute, die außerhalb der Arbeiterbewegung standen und die vielmehr Unterstützung suchten bei den »gebildeten« Klassen. Derjenige Teil der Arbeiter dagegen, der, von der Unzulänglichkeit bloßer politischer Umwälzungen überzeugt, eine gründliche Umgestaltung der Gesellschaft forderte, der Teil nannte sich damals *kommunistisch.* Es war ein nur im Rauhen gearbeiteter, nur instinktiver, manchmal etwas roher Kommunismus; aber er war mächtig genug, um zwei Systeme des utopischen Kommunismus zu erzeugen, in Frankreich den »ikarischen« Cabets[1], in Deutschland den von Weitling[2]. Sozialismus bedeutete 1847 eine Bourgeoisbewegung, Kommunismus eine Arbeiterbewegung. Der Sozialismus war, auf dem Kontinent wenigstens, salonfähig, der Kommunismus war das grade Gegenteil. Und da wir schon damals sehr entschieden der Ansicht waren, dass »die Emanzipation der Arbeiter das Werk der Arbeiterklasse selbst sein muss«, so konnten wir keinen Augenblick im Zweifel sein, welchen der beiden Namen zu wählen. Auch seitdem ist es uns nie eingefallen, ihn zurückzuweisen.

»Proletarier aller Länder, vereinigt euch!« Nur wenige Stimmen antworteten, als wir diese Worte in die Welt hinausriefen, vor nunmehr 42 Jahren, am Vorabend der ersten Pariser Revolution, worin das Proletariat mit eignen Ansprüchen hervortrat. Aber am 28. September 1864 vereinigten sich Proletarier der meisten westeuropäischen Länder zur Internationalen

1 Vgl. Anm. 3, S. 19.
2 Vgl. Anm. 4, S. 19.

Arbeiter-Assoziation glorreichen Angedenkens. Die Internationale selbst lebte allerdings nur neun Jahre. Aber dass der von ihr gegründete ewige Bund der Proletarier aller Länder noch lebt, und kräftiger lebt als je, dafür gibt es keinen bessern Zeugen als gerade den heutigen Tag. Denn heute, wo ich diese Zeilen schreibe, hält das europäische und amerikanische Proletariat Heerschau über seine zum erstenmal mobil gemachten Streitkräfte, mobil gemacht als *ein* Heer, unter *einer* Fahne und für *ein* nächstes Ziel: den schon vom Genfer Kongress der Internationale 1866 und wiederum vom Pariser Arbeiterkongress 1889 proklamierten, gesetzlich festzustellenden, achtstündigen Normalarbeitstag. Und das Schauspiel des heutigen Tages wird den Kapitalisten und Grundherren aller Länder die Augen darüber öffnen, dass heute die Proletarier aller Länder in der Tat vereinigt sind.

Stände nur Marx noch neben mir, dies mit eignen Augen zu sehen!

London, am 1. Mai 1890
F. Engels

Vorwort
[zur polnischen Ausgabe von 1892[1]]

Die Tatsache, dass eine neue polnische Ausgabe des »Kommunistischen Manifests« notwendig geworden, gibt zu verschiedenen Betrachtungen Anlass.

Zuerst ist bemerkenswert, dass das »Manifest« neuerdings gewissermaßen zu einem Gradmesser geworden ist für die Entwicklung der großen Industrie auf dem europäischen Kontinent. In dem Maß, wie in einem Lande die große Industrie sich ausdehnt, in dem Maß wächst auch unter den Arbeitern desselben Landes das Verlangen nach Aufklärung über ihre Stellung als Arbeiterklasse gegenüber den besitzenden Klassen, breitet sich unter ihnen die sozialistische Bewegung aus und steigt die Nachfrage nach dem »Manifest«. So dass nicht nur der Stand der Arbeiterbewegung, sondern auch der Entwicklungsgrad der großen Industrie in jedem Land mit ziemlicher Genauigkeit abgemessen werden kann an der Zahl der in der Landessprache verbreiteten Exemplare des »Manifests«.

Hiernach bezeichnet die neue polnische Ausgabe einen entschiednen Fortschritt der polnischen Industrie. Und dass dieser Fortschritt, seit der vor zehn Jahren erschienenen letzten Ausgabe, in Wirklichkeit stattgefunden hat, darüber kann kein Zweifel sein. Russisch-Polen, Kongress-Polen, ist der große Industriebezirk des Russischen Reichs geworden. Während die russische Großindustrie sporadisch zerstreut ist – ein Stück am Finnischen Meerbusen, ein Stück im Zentrum (Moskau und Wladimir), ein drittes am Schwarzen und Asow-

1 Der Text dieses Vorworts folgt dem von Engels in deutscher Sprache geschriebenen Original.

schen Meer, noch andre anderswo zersprengt –, ist die polnische auf verhältnismäßig kleinem Raum zusammengedrängt und genießt die aus dieser Konzentration entspringenden Vorteile und Nachteile. Die Vorteile erkannten die konkurrierenden russischen Fabrikanten an, als sie Schutzzölle gegen Polen verlangten, trotz ihres sehnlichen Wunsches, die Polen in Russen zu verwandeln. Die Nachteile – für die polnischen Fabrikanten und für die russische Regierung – zeigen sich in der rapiden Verbreitung sozialistischer Ideen unter den polnischen Arbeitern und in der steigenden Nachfrage nach dem »Manifest«.

Die rasche Entwicklung der polnischen Industrie, die der russischen über den Kopf gewachsen, ist aber ihrerseits ein neuer Beweis für die unverwüstliche Lebenskraft des polnischen Volks und eine neue Garantie seiner bevorstehenden nationalen Wiederherstellung. Die Wiederherstellung eines unabhängigen starken Polens ist aber eine Sache, die nicht nur die Polen, sondern die uns alle angeht. Ein aufrichtiges internationales Zusammenwirken der europäischen Nationen ist nur möglich, wenn jede dieser Nationen im eignen Hause vollkommen autonom ist. Die Revolution von 1848, die, unter proletarischer Fahne, proletarische Kämpfer schließlich nur die Arbeit der Bourgeoisie tun ließ, setzte auch durch ihre Testamentsvollstrecker Louis Bonaparte und Bismarck die Unabhängigkeit Italiens, Deutschlands, Ungarns durch; aber Polen, das seit 1792 mehr für die Revolution getan als alle diese drei zusammen, Polen überließ man sich selbst, als es 1863 vor der zehnfachen russischen Übermacht erlag. Die Unabhängigkeit Polens hat der Adel weder erhalten noch wiedererkämpfen gekonnt; der Bourgeoisie ist sie heute zum mindesten gleichgültig. Und doch ist sie eine Notwendigkeit für das harmonische Zusammenwirken der europäischen Nationen. Sie kann erkämpft werden nur vom jungen polnischen Proletariat, und in dessen Händen ist sie gut aufgehoben. Denn die Arbeiter des ganzen übrigen Europas haben die Unabhängigkeit Polens ebenso nötig wie die polnischen Arbeiter selbst.

London, 10. Februar 1892
F. Engels

An den italienischen Leser

Die Veröffentlichung des »Manifests der Kommunistischen Partei« fiel fast auf den Tag genau mit dem 18. März 1848 zusammen, mit den Revolutionen von Mailand und Berlin, wo sich im Zentrum des europäischen Kontinents einerseits und des Mittelländischen Meeres andrerseits zwei Nationen erhoben, die bis dahin durch territoriale Zerstückelung und inneren Hader geschwächt und daher unter Fremdherrschaft geraten waren. Während Italien dem Kaiser von Österreich unterworfen war, hatte Deutschland, wenn auch nicht so unmittelbar, das nicht minder schwere Joch des Zaren aller Reußen zu tragen. Die Auswirkungen des 18. März 1848 befreiten Italien und Deutschland von dieser Schmach; wenn beide großen Nationen in der Zeit von 1848 bis 1871 wiederhergestellt und gewissermaßen sich selbst wiedergegeben wurden, so geschah dies, wie Karl Marx sagte, deshalb, weil dieselben Leute, die die Revolution von 1848 niederwarfen, dann wider Willen zu ihren Testamentsvollstreckern wurden.

Die Revolution war damals überall das Werk der Arbeiterklasse; die Arbeiterklasse war es, die die Barrikaden errichtete und ihr Leben in die Schanze schlug. Nur die Arbeiter von Paris hatten, als sie die Regierung stürzten, die ausgesprochene Absicht, das Bourgeoisregime zu stürzen. Doch so sehr sie sich auch des unvermeidlichen Antagonismus bewusst waren, der zwischen ihrer eigenen Klasse und der Bourgeoisie bestand, hatte weder der wirtschaftliche Fortschritt des Landes noch die geistige Entwicklung der französischen Arbeitermassen jenen Grad erreicht, der eine Umgestaltung der Gesellschaft ermöglicht hätte. Die Früchte der Revolution wurden daher letzten Endes von der Kapitalistenklasse eingeheimst. In den anderen Ländern, in Italien, Deutschland, Österreich, Ungarn, taten die Arbeiter von Anfang an nichts anderes, als die Bourgeoisie an die Macht zu bringen. Aber in keinem Lande ist die Herrschaft der Bourgeoisie ohne nationale Unabhängigkeit möglich. Die Revolution von 1848 musste somit die Einheit und Unabhängigkeit derjenigen Nationen nach sich ziehen, denen es bis dahin daran gebrach: Italien, Deutschland, Ungarn; Polen wird zu seiner Zeit nachfolgen.

Wenn also die Revolution von 1848 keine sozialistische Revolution war, so ebnete sie dieser doch den Weg, bereitete für sie den Boden vor. Mit der Entwicklung der großen Industrie in allen Ländern hat das Bourgeoisregime in den letzten 45 Jahren allenthalben ein zahlreiches, festgefügtes und starkes Proletariat hervorgebracht, hat es, um einen Ausdruck des »Manifests« zu gebrauchen, seine eignen Totengräber produziert. Ohne Wiederherstellung der Unabhängigkeit und Einheit jeder europäischen Nation hätte sich weder die internationale Vereinigung des Proletariats noch ein ruhiges, verständiges Zusammenwirken dieser Nationen zur Erreichung gemeinsamer Ziele vollziehen können. Man stelle sich einmal ein gemeinsames internationales Vorgehen der italienischen, ungarischen, deutschen, polnischen, russischen Arbeiter unter den politischen Verhältnissen der Zeit vor 1848 vor!

Die Schlachten von 1848 waren also nicht vergebens, nicht vergebens auch die 45 Jahre, die uns von jener revolutionären Etappe trennen. Die Früchte kommen zur Reife, und ich wünschte nur, dass die Veröffentlichung dieser italienischen Übersetzung des »Manifests« ein gutes Vorzeichen für den Sieg des italienischen Proletariats werde, so wie die Veröffentlichung des Originals es für die internationale Revolution war.

Das »Manifest« lässt der revolutionären Rolle, die der Kapitalismus in der Vergangenheit gespielt hat, volle Gerechtigkeit widerfahren. Die erste kapitalistische Nation war Italien. Der Ausgang des feudalen Mittelalters und der Anbruch des modernen kapitalistischen Zeitalters sind durch eine große Gestalt gekennzeichnet – durch den Italiener Dante, der zugleich der letzte Dichter des Mittelalters und der erste Dichter der Neuzeit war. Heute bricht, wie um 1300, ein neues geschichtliches Zeitalter an. Wird uns Italien den neuen Dante schenken, der die Geburtsstunde des proletarischen Zeitalters verkündet?

London, 1. Februar 1893
Friedrich Engels

[Nach der Handschrift. Aus dem Französischen.]

Manifest der Kommunistischen Partei

Ein Gespenst geht um in Europa – das Gespenst des Kommunismus. Alle Mächte des alten Europa haben sich zu einer heiligen Hetzjagd gegen dies Gespenst verbündet, der Papst und der Zar, Metternich[1] und Guizot[2], französische Radikale und deutsche Polizisten.

Wo ist die Oppositionspartei, die nicht von ihren regierenden Gegnern als kommunistisch verschrien worden wäre, wo die Oppositionspartei, die den fortgeschritteneren Oppositionsleuten sowohl wie ihren reaktionären Gegnern den brandmarkenden Vorwurf des Kommunismus nicht zurückgeschleudert hätte?

Zweierlei geht aus dieser Tatsache hervor.

Der Kommunismus wird bereits von allen europäischen Mächten als eine Macht anerkannt.

Es ist hohe Zeit, dass die Kommunisten ihre Anschauungsweise, ihre Zwecke, ihre Tendenzen vor der ganzen Welt offen darlegen und dem[3] Märchen vom Gespenst des Kommunismus ein Manifest der Partei selbst entgegenstellen.

Zu diesem Zweck haben sich Kommunisten der verschiedensten Nationalität in London versammelt und das folgende Manifest entworfen, das in englischer, französischer, deutscher, italienischer, flämischer und dänischer Sprache veröffentlicht wird.

1 Klemens Wenzel Lothar Fürst von Metternich-Winneburg (1773–1859), führender europäischer Staatsmann, spielte eine wichtige Rolle beim Wiener Kongress bzw. der Neuordnung Europas nach der Niederlage Napoleons.

2 François Pierre Guillaume Guizot (1787–1874), franz. Schriftsteller und Politiker.

3 1848: den.

I Bourgeois und Proletarier*

Die Geschichte aller bisherigen Gesellschaft** ist die Geschichte von Klassenkämpfen.

Freier und Sklave, Patrizier und Plebejer, Baron und Leibeigener, Zunftbürger und Gesell, kurz, Unterdrücker und Unterdrückte standen in stetem Gegensatz zueinander, führten ei-

* Unter Bourgeoisie wird die Klasse der modernen Kapitalisten verstanden, die Besitzer der gesellschaftlichen Produktionsmittel sind und Lohnarbeit ausnutzen. Unter Proletariat die Klasse der modernen Lohnarbeiter, die, da sie keine eigenen Produktionsmittel besitzen, darauf angewiesen sind, ihre Arbeitskraft zu verkaufen, um leben zu können. [*Anmerkung von Engels zur englischen Ausgabe von 1888.*]

** Das heißt, genau gesprochen, die *schriftlich* überlieferte Geschichte. 1847 war die Vorgeschichte der Gesellschaft, die gesellschaftliche Organisation, die aller niedergeschriebenen Geschichte vorausging, noch so gut wie unbekannt. Seitdem hat Haxthausen das Gemeineigentum am Boden in Russland entdeckt, Maurer hat es nachgewiesen als die gesellschaftliche Grundlage, wovon alle deutschen Stämme geschichtlich ausgingen, und allmählich fand man, dass Dorfgemeinden mit gemeinsamem Bodenbesitz die Urform der Gesellschaft waren von Indien bis Irland. Schließlich wurde die innere Organisation dieser urwüchsigen kommunistischen Gesellschaft in ihrer typischen Form bloßgelegt durch Morgans krönende Entdeckung der wahren Natur der Gens und ihrer Stellung im Stamm. Mit der Auflösung dieser ursprünglichen Gemeinwesen beginnt die Spaltung der Gesellschaft in besondre und schließlich einander entgegengesetzte Klassen. [*Anmerkung von Engels zur englischen Ausgabe von 1888 und zur deutschen Ausgabe von 1890.*] Ich habe versucht, diesen Auflösungsprozess in »Der Ursprung der Familie, des Privateigentums und des Staats« zu verfolgen; zweite Auflage, Stuttgart 1886. [*Anmerkung von Engels zur englischen Ausgabe von 1888.*]

nen ununterbrochenen, bald versteckten, bald offenen Kampf, einen Kampf, der jedesmal mit einer revolutionären Umgestaltung der ganzen Gesellschaft endete oder mit dem gemeinsamen Untergang der kämpfenden Klassen.

In den früheren Epochen der Geschichte finden wir fast überall eine vollständige Gliederung der Gesellschaft in verschiedene Stände, eine mannigfaltige Abstufung der gesellschaftlichen Stellungen. Im alten Rom haben wir Patrizier, Ritter, Plebejer, Sklaven; im Mittelalter Feudalherren, Vasallen, Zunftbürger, Gesellen, Leibeigene und noch dazu in fast jeder dieser Klassen wieder besondere Abstufungen.

Die aus dem Untergang der feudalen Gesellschaft hervorgegangene moderne bürgerliche Gesellschaft hat die Klassengegensätze nicht aufgehoben. Sie hat nur neue Klassen, neue Bedingungen der Unterdrückung, neue Gestaltungen des Kampfes an die Stelle der alten gesetzt.

Unsere Epoche, die Epoche der Bourgeoisie, zeichnet sich jedoch dadurch aus, dass sie die Klassengegensätze vereinfacht hat. Die ganze Gesellschaft spaltet sich mehr und mehr in zwei große feindliche Lager, in zwei große, einander direkt gegenüberstehende Klassen: Bourgeoisie und Proletariat.

Aus den Leibeigenen des Mittelalters gingen die Pfahlbürger der ersten Städte hervor: aus dieser Pfahlbürgerschaft entwickelten sich die ersten Elemente der Bourgeoisie.

Die Entdeckung Amerikas, die Umschiffung Afrikas schufen der aufkommenden Bourgeoisie ein neues Terrain. Der ostindische und chinesische Markt, die Kolonisierung von Amerika, der Austausch mit den Kolonien, die Vermehrung der Tauschmittel und der Waren überhaupt gaben dem Handel, der Schifffahrt, der Industrie einen nie gekannten Aufschwung und damit dem revolutionären Element in der zerfallenden feudalen Gesellschaft eine rasche Entwicklung.

Die bisherige feudale oder zünftige Betriebsweise der Industrie reichte nicht mehr aus für den mit neuen[1] Märkten anwachsenden Bedarf. Die Manufaktur[2] trat an ihre Stelle. Die Zunftmeister wurden verdrängt durch den industriellen Mittelstand; die Teilung der Arbeit zwischen den verschiedenen Korporationen[3] verschwand vor der Teilung der Arbeit in der einzelnen Werkstatt selbst.

Aber immer wuchsen die Märkte, immer stieg der Bedarf. Auch die Manufaktur reichte nicht mehr aus. Da revolutionierten der Dampf und die Maschinerie die industrielle Produktion. An die Stelle der Manufaktur trat die moderne große Industrie, an die Stelle des industriellen Mittelstandes traten die industriellen Millionäre, die Chefs ganzer industrieller Armeen, die modernen Bourgeois.

Die große Industrie hat den Weltmarkt hergestellt, den die Entdeckung Amerikas vorbereitete. Der Weltmarkt hat dem Handel, der Schifffahrt, den Landkommunikationen eine unermessliche Entwicklung gegeben. Diese hat wieder auf die Ausdehnung der Industrie zurückgewirkt, und in demselben Maße, worin Industrie, Handel, Schifffahrt, Eisenbahnen sich ausdehnten, in demselben Maße entwickelte sich die Bourgeoisie, vermehrte sie ihre Kapitalien, drängte sie alle vom Mittelalter her überlieferten Klassen in den Hintergrund.

Wir sehen also, wie die moderne Bourgeoisie selbst das Produkt eines langen Entwicklungsganges, einer Reihe von Umwälzungen in der Produktions- und Verkehrsweise ist.

Jede dieser Entwicklungsstufen der Bourgeoisie war begleitet von einem entsprechenden politischen Fortschritt[4]. Unter-

1 1848, 1872 und 1883: den neuen.
2 Wörtlich »mit der Hand hergestellt«, Betrieb mit Arbeitsteilung (anders als im Handwerk), jedoch klein (also keine Fabrik).
3 Verbindungen.
4 1888 eingefügt: dieser Klasse.

drückter Stand unter der Herrschaft der Feudalherren, bewaffnete und sich selbst verwaltende Assoziation[1] in der Kommune*, hier unabhängige städtische Republik[2], dort dritter steuerpflichtiger Stand der Monarchie[3], dann zur Zeit der Manufaktur Gegengewicht gegen den Adel in der ständischen oder in der absoluten Monarchie[4], Hauptgrundlage der großen Monarchien überhaupt, erkämpfte sie sich endlich seit der Herstellung der großen Industrie und des Weltmarktes im modernen Repräsentativstaat die ausschließliche politische Herrschaft. Die moderne Staatsgewalt ist nur ein Ausschuss, der die gemeinschaftlichen Geschäfte der ganzen Bourgeoisklasse verwaltet.

Die Bourgeoisie hat in der Geschichte eine höchst revolutionäre Rolle gespielt.

Die Bourgeoisie, wo sie zur Herrschaft gekommen, hat alle feudalen, patriarchalischen[5], idyllischen Verhältnisse zerstört.

* »Kommune« nannten sich die in Frankreich entstehenden Städte, sogar bevor sie ihren feudalen Herrn und Meistern lokale Selbstverwaltung und politische Rechte als »Dritter Stand« abzuringen vermochten. Allgemein gesprochen haben wir hier als typisches Land für die ökonomische Entwicklung der Bourgeoisie England, für ihre politische Entwicklung Frankreich angeführt. [*Anmerkung von Engels zur englischen Ausgabe von 1888.*]
So nannten die Städtebürger Italiens und Frankreichs ihr städtisches Gemeinwesen, nachdem sie die ersten Selbstverwaltungsrechte ihren Feudalherren abgekauft oder abgezwungen hatten. [*Anmerkung von Engels zur deutschen Ausgabe von 1890.*]

1 1848 und 1872: Assoziationen.
2 1888 eingefügt: (wie in Italien und Deutschland).
3 1888 eingefügt: (wie in Frankreich).
4 1848 eingefügt: und.
5 Von einer Person geleiteten.

Sie hat die buntscheckigen Feudalbande, die den Menschen an seinen natürlichen Vorgesetzten knüpften, unbarmherzig zerrissen und kein anderes Band zwischen Mensch und Mensch übriggelassen als das nackte Interesse, als die gefühllose »bare Zahlung«. Sie hat die heiligen Schauer der frommen Schwärmerei, der ritterlichen Begeisterung, der spießbürgerlichen Wehmut in dem eiskalten Wasser egoistischer Berechnung ertränkt. Sie hat die persönliche Würde in den Tauschwert aufgelöst und an die Stelle der zahllosen verbrieften und wohlerworbenen Freiheiten die *eine* gewissenlose Handelsfreiheit gesetzt. Sie hat, mit einem Wort, an die Stelle der mit religiösen und politischen Illusionen verhüllten Ausbeutung die offene, unverschämte, direkte, dürre Ausbeutung gesetzt.

Die Bourgeoisie hat alle bisher ehrwürdigen und mit frommer Scheu betrachteten Tätigkeiten ihres Heiligenscheins entkleidet. Sie hat den Arzt, den Juristen, den Pfaffen, den Poeten, den Mann der Wissenschaft in ihre bezahlten Lohnarbeiter verwandelt.

Die Bourgeoisie hat dem Familienverhältnis seinen rührend-sentimentalen Schleier abgerissen und es auf ein reines Geldverhältnis zurückgeführt.

Die Bourgeoisie hat enthüllt, wie die brutale Kraftäußerung, die die Reaktion so sehr am Mittelalter bewundert, in der trägsten Bärenhäuterei[1] ihre passende Ergänzung fand. Erst sie hat bewiesen, was die Tätigkeit der Menschen zustande bringen kann. Sie hat ganz andere Wunderwerke vollbracht als ägyptische Pyramiden, römische Wasserleitungen und gotische Kathedralen, sie hat ganz andere Züge ausgeführt als Völkerwanderungen und Kreuzzüge.

1 Nach dem Märchen der Brüder Grimm »Der Bärenhäuter«, hier als zwangsweises Verstecken unter einer Maske, unter der alles verkommt.

Die Bourgeoisie kann nicht existieren, ohne die Produktionsinstrumente, also die Produktionsverhältnisse, also sämtliche gesellschaftlichen Verhältnisse fortwährend zu revolutionieren. Unveränderte Beibehaltung der alten Produktionsweise war dagegen die erste Existenzbedingung aller früheren industriellen Klassen. Die fortwährende Umwälzung der Produktion, die ununterbrochene Erschütterung aller gesellschaftlichen Zustände, die ewige Unsicherheit und Bewegung zeichnet die Bourgeoisepoche vor allen anderen[1] aus. Alle festen, eingerosteten Verhältnisse mit ihrem Gefolge von altehrwürdigen Vorstellungen und Anschauungen werden aufgelöst, alle neugebildeten veralten, ehe sie verknöchern können. Alles Ständische und Stehende verdampft, alles Heilige wird entweiht, und die Menschen sind endlich gezwungen, ihre Lebensstellung, ihre gegenseitigen Beziehungen mit nüchternen Augen anzusehen.

Das Bedürfnis nach einem stets ausgedehnteren Absatz für ihre Produkte jagt die Bourgeoisie über die ganze Erdkugel. Überall muss sie sich einnisten, überall anbauen, überall Verbindungen herstellen.

Die Bourgeoisie hat durch ihre[2] Exploitation[3] des Weltmarkts die Produktion und Konsumtion[4] aller Länder kosmopolitisch gestaltet. Sie hat zum großen Bedauern der Reaktionäre den nationalen Boden der Industrie unter den Füßen weggezogen. Die uralten nationalen Industrien sind vernichtet worden und werden noch täglich vernichtet. Sie werden verdrängt durch neue Industrien, deren Einführung eine Lebensfrage für alle zivilisierten Nationen wird, durch Industri-

1 1848, 1872 und 1883: früheren.
2 1848: die.
3 Ausbeutung.
4 Verbrauch.

en, die nicht mehr einheimische Rohstoffe, sondern den entlegensten Zonen angehörige Rohstoffe verarbeiten und deren Fabrikate nicht nur im Lande selbst, sondern in allen Weltteilen zugleich verbraucht werden. An die Stelle der alten, durch Landeserzeugnisse befriedigten Bedürfnisse treten neue, welche die Produkte der entferntesten Länder und Klimate zu ihrer Befriedigung erheischen. An die Stelle der alten lokalen und nationalen Selbstgenügsamkeit und Abgeschlossenheit tritt ein allseitiger Verkehr, eine allseitige Abhängigkeit der Nationen voneinander. Und wie in der materiellen, so auch in der geistigen Produktion. Die geistigen Erzeugnisse der einzelnen Nationen werden Gemeingut. Die nationale Einseitigkeit und Beschränktheit wird mehr und mehr unmöglich, und aus den vielen nationalen und lokalen Literaturen bildet sich eine Weltliteratur.

Die Bourgeoisie reißt durch die rasche Verbesserung aller Produktionsinstrumente, durch die unendlich erleichterten Kommunikationen alle, auch die barbarischsten Nationen in die Zivilisation. Die wohlfeilen Preise ihrer Waren sind die schwere Artillerie, mit der sie alle chinesischen Mauern in den Grund schießt, mit der sie den hartnäckigsten Fremdenhass der Barbaren zur Kapitulation zwingt. Sie zwingt alle Nationen, die Produktionsweise der Bourgeoisie sich anzueignen, wenn sie nicht zugrunde gehn wollen; sie zwingt sie, die sogenannte Zivilisation bei sich selbst einzuführen, d. h. Bourgeois zu werden. Mit einem Wort, sie schafft sich eine Welt nach ihrem eigenen Bilde.

Die Bourgeoisie hat das Land der Herrschaft der Stadt unterworfen. Sie hat enorme Städte geschaffen, sie hat die Zahl der städtischen Bevölkerung gegenüber der ländlichen in hohem Grade vermehrt und so einen bedeutenden Teil der Bevölkerung dem Idiotismus des Landlebens entrissen. Wie sie das Land von der Stadt, hat sie die barbarischen und halbbarbarischen Länder von den zivilisierten, die Bauernvölker von den Bourgeoisvölkern, den Orient vom Okzident abhängig gemacht.

Die Bourgeoisie hebt mehr und mehr die Zersplitterung der Produktionsmittel, des Besitzes und der Bevölkerung auf. Sie hat die Bevölkerung agglomeriert[1], die Produktionsmittel zentralisiert und das Eigentum in wenigen Händen konzentriert. Die notwendige Folge hiervon war die politische Zentralisation. Unabhängige, fast nur verbündete Provinzen mit verschiedenen Interessen, Gesetzen, Regierungen und Zöllen wurden zusammengedrängt in *eine* Nation, *eine* Regierung, *ein* Gesetz, *ein* nationales Klasseninteresse, *eine* Douanenlinie[2].

Die Bourgeoisie hat in ihrer kaum hundertjährigen Klassenherrschaft massenhaftere und kolossalere Produktionskräfte geschaffen als alle vergangenen Generationen zusammen. Unterjochung der Naturkräfte, Maschinerie, Anwendung der Chemie auf Industrie und Ackerbau, Dampfschifffahrt, Eisenbahnen, elektrische Telegrafen, Urbarmachung ganzer Weltteile, Schiffbarmachung der Flüsse, ganze aus dem Boden hervorgestampfte Bevölkerungen – welches frühere[3] Jahrhundert ahnte, dass solche Produktionskräfte im Schoß der gesellschaftlichen Arbeit schlummerten.

Wir haben also[4] gesehn: Die Produktions- und Verkehrsmittel, auf deren Grundlage sich die Bourgeoisie heranbildete, wurden in der feudalen Gesellschaft erzeugt. Auf einer gewissen Stufe der Entwicklung dieser Produktions- und Verkehrsmittel entsprachen die Verhältnisse, worin die feudale Gesellschaft produzierte und austauschte, die feudale Organisation

1 Zusammengeführt, konzentriert.
2 Zollgrenze.
3 1848: welch früheres.
4 1848: aber.

der Agrikultur und Manufaktur, mit einem Wort die feudalen Eigentumsverhältnisse den schon entwickelten Produktivkräften nicht mehr. Sie hemmten die Produktion, statt sie zu fördern. Sie verwandelten sich in ebenso viele Fesseln. Sie mussten gesprengt werden, sie wurden gesprengt.

An ihre Stelle trat die freie Konkurrenz mit der ihr angemessenen gesellschaftlichen und politischen Konstitution, mit der ökonomischen und politischen Herrschaft der Bourgeoisklasse.

Unter unsern Augen geht eine ähnliche Bewegung vor. Die bürgerlichen Produktions- und Verkehrsverhältnisse, die bürgerlichen Eigentumsverhältnisse, die moderne bürgerliche Gesellschaft, die so gewaltige Produktions- und Verkehrsmittel hervorgezaubert hat, gleicht dem Hexenmeister, der die unterirdischen Gewalten nicht mehr zu beherrschen vermag, die er heraufbeschwor. Seit Dezennien[1] ist die Geschichte der Industrie und des Handels nur[2] die Geschichte der Empörung der modernen Produktivkräfte gegen die modernen Produktionsverhältnisse, gegen die Eigentumsverhältnisse, welche die Lebensbedingungen der Bourgeoisie und ihrer Herrschaft sind. Es genügt, die Handelskrisen zu nennen, welche in ihrer periodischen Wiederkehr immer drohender die Existenz der ganzen bürgerlichen Gesellschaft in Frage stellen. In den Handelskrisen wird ein großer Teil nicht nur der erzeugten Produkte, sondern[3] der bereits geschaffenen Produktivkräfte regelmäßig vernichtet. In den Krisen bricht eine gesellschaftliche Epidemie aus, welche allen früheren Epochen als ein Widersinn erschienen wäre – die Epidemie der Überproduktion. Die Gesellschaft findet sich plötzlich in einen Zustand momentaner

1 Jahrzehnten.
2 1848 eingefügt: noch.
3 1848 eingefügt: sogar.

Barbarei zurückversetzt; eine Hungersnot, ein allgemeiner Vernichtungskrieg[1] scheinen ihr alle Lebensmittel abgeschnitten zu haben; die Industrie, der Handel scheinen vernichtet, und warum? Weil sie zuviel Zivilisation, zuviel Lebensmittel, zuviel Industrie, zuviel Handel besitzt. Die Produktivkräfte, die ihr zur Verfügung stehen, dienen nicht mehr zur Beförderung[2] der bürgerlichen Eigentumsverhältnisse; im Gegenteil, sie sind zu gewaltig für diese Verhältnisse geworden, sie werden von ihnen gehemmt, und sobald sie dies Hemmnis überwinden, bringen sie die ganze bürgerliche Gesellschaft in Unordnung, gefährden sie die Existenz des bürgerlichen Eigentums. Die bürgerlichen Verhältnisse sind zu eng geworden, um den von ihnen erzeugten Reichtum zu fassen. – Wodurch überwindet die Bourgeoisie die Krisen? Einerseits durch die erzwungene Vernichtung einer Masse von Produktivkräften; anderseits durch die Eroberung neuer Märkte und die gründlichere Ausbeutung alter[3] Märkte. Wodurch also? Dadurch, dass sie allseitigere und gewaltigere Krisen vorbereitet und die Mittel, den Krisen vorzubeugen, vermindert.

Die Waffen, womit die Bourgeoisie den Feudalismus zu Boden geschlagen hat, richten sich jetzt gegen die Bourgeoisie selbst.

Aber die Bourgeoisie hat nicht nur die Waffen geschmiedet, die ihr den Tod bringen; sie hat auch die Männer gezeugt, die diese Waffen führen werden – die modernen Arbeiter, die *Proletarier*.

In demselben Maße, worin sich die Bourgeoisie, d.h. das Kapital, entwickelt, in demselben Maße entwickelt sich das Proletariat, die Klasse der modernen Arbeiter, die nur so lange

1 1848: Verwüstungskrieg.
2 1848 eingefügt: der bürgerlichen Zivilisation und.
3 1848 und 1872: der alten.

leben, als sie Arbeit finden, und die nur so lange Arbeit finden, als ihre Arbeit das Kapital vermehrt. Diese Arbeiter, die sich stückweis verkaufen müssen, sind eine Ware wie jeder andere Handelsartikel und daher gleichmäßig allen Wechselfällen der Konkurrenz, allen Schwankungen des Marktes ausgesetzt.

Die Arbeit der Proletarier hat durch die Ausdehnung der Maschinerie und die Teilung der Arbeit allen selbständigen Charakter und damit allen Reiz für die[1] Arbeiter verloren. Er wird ein bloßes Zubehör der Maschine, von dem nur der einfachste, eintönigste, am leichtesten erlernbare Handgriff verlangt wird. Die Kosten, die der Arbeiter verursacht, beschränken sich daher fast nur auf die Lebensmittel, die er zu seinem Unterhalt und zur Fortpflanzung seiner Race[2] bedarf. Der Preis einer Ware, also auch der Arbeit, ist aber gleich ihren Produktionskosten. In demselben Maße, in dem die Widerwärtigkeit der Arbeit wächst, nimmt daher der Lohn ab. Noch mehr, in demselben Maße, wie Maschinerie und Teilung der Arbeit zunehmen, in demselben Maße nimmt auch die Masse[3] der Arbeit zu, sei es durch Vermehrung der Arbeitsstunden, sei es durch Vermehrung der in einer gegebenen Zeit geforderten Arbeit, beschleunigten Lauf der Maschinen usw.

Die moderne Industrie hat die kleine Werkstube des patriarchalischen Meisters in die große Fabrik des industriellen Kapitalisten verwandelt. Arbeitermassen, in der Fabrik zusammengedrängt, werden soldatisch organisiert. Sie werden als gemeine Industriesoldaten unter die Aufsicht einer vollständigen Hierarchie von Unteroffizieren und Offizieren gestellt. Sie sind nicht nur Knechte der Bourgeoisklasse, des Bourgeoisstaates, sie sind täglich und stündlich geknechtet von der Ma-

1 1848: den.
2 Rasse.
3 1888: Last.

schine, von dem Aufseher und vor allem von den[1] einzelnen fabrizierenden Bourgeois selbst. Diese Despotie ist um so kleinlicher, gehässiger, erbitternder, je offener sie den Erwerb als ihren[2] Zweck proklamiert.

Je weniger die Handarbeit Geschicklichkeit und Kraftäußerung erheischt, d. h., je mehr die moderne Industrie sich entwickelt, desto mehr wird die Arbeit der Männer durch die der Weiber[3] verdrängt. Geschlechts- und Altersunterschiede haben keine gesellschaftliche Geltung mehr für die Arbeiterklasse. Es gibt nur noch Arbeitsinstrumente, die je nach Alter und Geschlecht verschiedene Kosten machen.

Ist die Ausbeutung des Arbeiters durch den Fabrikanten so weit beendigt, dass er seinen Arbeitslohn bar ausgezahlt erhält, so fallen die andern Teile der Bourgeoisie über ihn her, der Hausbesitzer, der Krämer, der Pfandleiher[4] usw.

Die bisherigen kleinen Mittelstände, die kleinen Industriellen, Kaufleute und Rentiers, die Handwerker und Bauern, alle diese Klassen fallen ins Proletariat hinab, teils dadurch, dass ihr kleines Kapital für den Betrieb der großen Industrie nicht ausreicht und der Konkurrenz mit den größeren Kapitalisten erliegt, teils dadurch, dass ihre Geschicklichkeit von neuen Produktionsweisen entwertet wird. So rekrutiert sich das Proletariat aus allen Klassen der Bevölkerung.

Das Proletariat macht verschiedene Entwicklungsstufen durch. Sein Kampf gegen die Bourgeoisie beginnt mit seiner Existenz.

Im Anfang kämpfen die einzelnen Arbeiter, dann die Arbeiter einer Fabrik, dann die Arbeiter eines Arbeitszweiges an ei-

1 1848: dem.
2 1848, 1872 und 1883 eingefügt: letzten.
3 1848 eingefügt: und Kinder.
4 1848, 1872 und 1883: Pfandverleiher.

nem Ort gegen den einzelnen Bourgeois, der sie direkt ausbeutet. Sie richten ihre Angriffe nicht nur gegen die bürgerlichen Produktionsverhältnisse, sie richten sie gegen die Produktionsinstrumente selbst; sie vernichten die fremden konkurrierenden Waren, sie zerschlagen die Maschinen, sie stecken die Fabriken in Brand, sie suchen[1] die untergegangene Stellung des mittelalterlichen Arbeiters wiederzuerringen.

Auf dieser Stufe bilden die Arbeiter eine über das ganze Land zerstreute und durch die Konkurrenz zersplitterte Masse. Massenhaftes Zusammenhalten der Arbeiter ist noch nicht die Folge ihrer eigenen Vereinigung, sondern die Folge der Vereinigung der Bourgeoisie, die zur Erreichung ihrer eigenen politischen Zwecke das ganze Proletariat in Bewegung setzen muss und es einstweilen noch kann. Auf dieser Stufe bekämpfen die Proletarier also nicht ihre Feinde, sondern die Feinde ihrer Feinde, die Reste der absoluten Monarchie, die Grundeigentümer, die nichtindustriellen Bourgeois, die Kleinbürger. Die ganze geschichtliche Bewegung ist so in den Händen der Bourgeoisie konzentriert; jeder Sieg, der so errungen wird, ist ein Sieg der Bourgeoisie.

Aber mit der Entwicklung der Industrie vermehrt sich nicht nur das Proletariat; es wird in größeren Massen zusammengedrängt, seine Kraft wächst, und es fühlt sie mehr. Die Interessen, die Lebenslagen innerhalb des Proletariats gleichen sich immer mehr aus, indem die Maschinerie mehr und mehr die Unterschiede der Arbeit verwischt und den Lohn fast überall auf ein gleich niedriges Niveau herabdrückt. Die wachsende Konkurrenz der Bourgeois unter sich und die daraus hervorgehenden Handelskrisen machen den Lohn der Arbeiter immer schwankender; die immer rascher sich entwickelnde, unaufhörliche Verbesserung der Maschinerie macht ihre ganze Le-

1 1848 eingefügt: sich.

bensstellung immer unsicherer; immer mehr nehmen die Kollisionen zwischen dem einzelnen Arbeiter und dem einzelnen Bourgeois den Charakter von Kollisionen zweier Klassen an. Die Arbeiter beginnen damit, Koalitionen[1] gegen die Bourgeois zu bilden; sie treten zusammen zur Behauptung ihres Arbeitslohns. Sie stiften selbst dauernde Assoziationen[2], um sich für die gelegentlichen Empörungen zu verproviantieren. Stellenweis bricht der Kampf in Emeuten[3] aus.

Von Zeit zu Zeit siegen die Arbeiter, aber nur vorübergehend. Das eigentliche Resultat ihrer Kämpfe ist nicht der unmittelbare Erfolg, sondern die immer weiter um sich greifende Vereinigung der Arbeiter. Sie wird befördert durch die wachsenden Kommunikationsmittel, die von der großen Industrie erzeugt werden und die Arbeiter der verschiedenen Lokalitäten miteinander in Verbindung setzen. Es bedarf aber bloß der Verbindung, um die vielen Lokalkämpfe von überall gleichem Charakter zu einem nationalen, zu einem Klassenkampf zu zentralisieren. Jeder Klassenkampf ist aber[4] ein politischer Kampf. Und die Vereinigung, zu der die Bürger des Mittelalters mit ihren Vizinalwegen[5] Jahrhunderte bedurften, bringen die modernen Proletarier mit den Eisenbahnen in wenigen Jahren zustande.

Diese Organisation der Proletarier zur Klasse, und damit zur politischen Partei, wird jeden Augenblick wieder gesprengt durch die Konkurrenz unter den Arbeitern selbst. Aber sie ersteht immer wieder, stärker, fester, mächtiger. Sie erzwingt die Anerkennung einzelner Interessen der Arbeiter in Gesetzes-

1 1888 eingefügt: (Trade-Unions).
2 Verbindungen.
3 Aufstände.
4 1848, 1872 und 1883: aber ist.
5 Kleiner Verbindungsweg (keine Hauptstraße).

form, indem sie die Spaltungen der Bourgeoisie unter sich benutzt. So die Zehnstundenbill[1] in England.

Die Kollisionen der alten Gesellschaft überhaupt fördern mannigfach den Entwicklungsgang des Proletariats. Die Bourgeoisie befindet sich in fortwährendem Kampfe: anfangs gegen die Aristokratie; später gegen die Teile der Bourgeoisie selbst, deren Interessen mit dem Fortschritt der Industrie in Widerspruch geraten; stets gegen die Bourgeoisie aller auswärtigen Länder. In allen diesen Kämpfen sieht sie sich genötigt, an das Proletariat zu appellieren, seine Hülfe in Anspruch zu nehmen und es so in die politische Bewegung hineinzureißen. Sie selbst führt also dem Proletariat ihre eigenen[2] Bildungselemente, d.h. Waffen gegen sich selbst, zu.

Es werden ferner, wie wir sahen, durch den Fortschritt der Industrie ganze Bestandteile der herrschenden Klasse ins Proletariat hinabgeworfen oder wenigstens in ihren Lebensbedingungen bedroht. Auch sie führen dem Proletariat eine Masse Bildungselemente[3] zu.

In Zeiten endlich, wo der Klassenkampf sich der Entscheidung nähert, nimmt der Auflösungsprozess innerhalb der herrschenden Klasse, innerhalb der ganzen alten Gesellschaft, einen so heftigen, so grellen Charakter an, dass ein kleiner Teil der herrschenden Klasse sich von ihr lossagt und sich der revolutionären Klasse anschließt, der Klasse, welche die Zukunft in ihren Händen trägt. Wie daher früher ein Teil des Adels zur Bourgeoisie überging, so geht jetzt ein Teil der Bourgeoisie zum Proletariat über, und namentlich ein Teil der Bourgeoisideologen, welche zum theoretischen Verständnis der ganzen geschichtlichen Bewegung sich hinaufgearbeitet haben.

1 Gesetzliche Verkürzung der Arbeitszeit auf 10 Stunden täglich.
2 1888 eingefügt: politischen und allgemeinen.
3 1888: Aufklärungs- und Fortschrittselemente.

Von allen Klassen, welche heutzutage der Bourgeoisie gegenüberstehen, ist nur das Proletariat eine wirklich revolutionäre Klasse. Die übrigen Klassen verkommen und gehen unter mit der großen Industrie, das Proletariat ist ihr eigenstes Produkt.

Die Mittelstände, der kleine Industrielle, der kleine Kaufmann, der Handwerker, der Bauer, sie alle bekämpfen die Bourgeoisie, um ihre Existenz als Mittelstände vor dem Untergang zu sichern. Sie sind also nicht revolutionär, sondern konservativ. Noch mehr, sie sind reaktionär,[1] sie suchen das Rad der Geschichte zurückzudrehen. Sind sie revolutionär, so sind sie es im Hinblick auf den ihnen bevorstehenden Übergang ins Proletariat, so verteidigen sie nicht ihre gegenwärtigen, sondern ihre zukünftigen Interessen, so verlassen sie ihren eigenen Standpunkt, um sich auf den des Proletariats zu stellen.

Das Lumpenproletariat, diese passive Verfaulung der untersten Schichten der alten Gesellschaft, wird durch eine proletarische Revolution stellenweise in die Bewegung hineingeschleudert, seiner ganzen Lebenslage nach wird es bereitwilliger sein, sich zu reaktionären Umtrieben erkaufen zu lassen.

Die Lebensbedingungen der alten Gesellschaft sind schon vernichtet in den Lebensbedingungen des Proletariats. Der Proletarier ist eigentumslos; sein Verhältnis zu Weib und Kindern hat nichts mehr gemein mit dem bürgerlichen Familienverhältnis; die moderne industrielle Arbeit, die moderne Unterjochung unter das Kapital, dieselbe in England wie in Frankreich, in Amerika wie in Deutschland, hat ihm allen nationalen Charakter abgestreift. Die Gesetze, die Moral, die Religion sind für ihn ebenso viele bürgerliche Vorurteile, hinter denen sich ebenso viele bürgerliche Interessen verstecken.

Alle früheren Klassen, die sich die Herrschaft eroberten, suchten ihre schon erworbene Lebensstellung zu sichern, in-

1 1848, 1872 und 1883 eingefügt: denn.

dem sie die ganze Gesellschaft den Bedingungen ihres Erwerbs unterwarfen. Die Proletarier können sich die gesellschaftlichen Produktivkräfte nur erobern, indem sie ihre eigene bisherige Aneignungsweise und damit die ganze bisherige Aneignungsweise abschaffen. Die Proletarier haben nichts von dem Ihrigen zu sichern, sie haben alle bisherigen Privatsicherheiten[1] und Privatversicherungen zu zerstören.

Alle bisherigen Bewegungen waren Bewegungen von Minoritäten[2] oder im Interesse von Minoritäten. Die proletarische Bewegung ist die selbständige Bewegung der ungeheuren Mehrzahl im Interesse der ungeheuren Mehrzahl. Das Proletariat, die unterste Schicht der jetzigen Gesellschaft, kann sich nicht erheben, nicht aufrichten, ohne dass der ganze Überbau der Schichten, die die offizielle Gesellschaft bilden, in die Luft gesprengt wird.

Obgleich nicht dem Inhalt, ist der Form nach der Kampf des Proletariats gegen die Bourgeoisie zunächst ein nationaler. Das Proletariat eines jeden Landes muss natürlich zuerst mit seiner eigenen Bourgeoisie fertig werden.

Indem wir die allgemeinsten Phasen der Entwicklung des Proletariats zeichneten, verfolgten wir den mehr oder minder versteckten Bürgerkrieg innerhalb der bestehenden Gesellschaft bis zu dem Punkt, wo er in eine offene Revolution ausbricht und durch den gewaltsamen Sturz der Bourgeoisie das Proletariat seine Herrschaft begründet.

Alle bisherige Gesellschaft beruhte, wie wir gesehn haben, auf dem Gegensatz unterdrückender und unterdrückter Klassen. Um aber eine Klasse unterdrücken zu können, müssen ihr Bedingungen gesichert sein, innerhalb derer sie wenigstens ihre knechtische Existenz fristen kann. Der Leibei-

1 1848, 1872 und 1883: bisherige Privatsicherheit.
2 Minderheiten.

gene hat sich zum Mitglied der Kommune in der Leibeigenschaft herangearbeitet wie der Kleinbürger zum Bourgeois unter dem Joch des feudalistischen Absolutismus. Der moderne Arbeiter dagegen, statt sich mit dem Fortschritt der Industrie zu heben, sinkt immer tiefer unter die Bedingungen seiner eigenen Klasse herab. Der Arbeiter wird zum Pauper[1], und der Pauperismus entwickelt sich noch schneller[2] als Bevölkerung und Reichtum. Es tritt hiermit offen hervor, dass die Bourgeoisie unfähig ist, noch länger die herrschende Klasse der Gesellschaft zu bleiben und die Lebensbedingungen ihrer Klasse der Gesellschaft als regelndes Gesetz aufzuzwingen. Sie ist unfähig zu herrschen, weil sie unfähig ist, ihrem Sklaven die Existenz selbst innerhalb seiner Sklaverei zu sichern, weil sie gezwungen ist, ihn in eine Lage herabsinken zu lassen, wo sie ihn ernähren muss, statt von ihm ernährt zu werden. Die Gesellschaft kann nicht mehr unter ihr leben, d.h., ihr Leben ist nicht mehr verträglich mit der Gesellschaft.

Die wesentliche[3] Bedingung für die Existenz und für die Herrschaft der Bourgeoisklasse ist die Anhäufung des Reichtums in den Händen von Privaten, die Bildung und Vermehrung des Kapitals; die Bedingung des Kapitals ist die Lohnarbeit. Die Lohnarbeit beruht ausschließlich auf der Konkurrenz der Arbeiter unter sich. Der Fortschritt der Industrie, dessen willenloser und widerstandsloser Träger die Bourgeoisie ist, setzt an die Stelle der Isolierung der Arbeiter durch die Konkurrenz ihre revolutionäre Vereinigung durch die Assoziation. Mit der Entwicklung der großen Industrie wird also unter den Füßen der Bourgeoisie die Grundlage

1 Strukturell arm, und dies auf lange Sicht.

2 1848, 1872 und 1883: rascher.

3 1848, 1872 und 1883: wesentlichste.

selbst hinweggezogen[1], worauf sie produziert und die Produkte sich aneignet. Sie produziert vor allem ihren[2] eigenen Totengräber. Ihr Untergang und der Sieg des Proletariats sind gleich unvermeidlich.

II Proletarier und Kommunisten

In welchem Verhältnis stehen die Kommunisten zu den Proletariern überhaupt?

Die Kommunisten sind keine besondere Partei gegenüber den andern Arbeiterparteien.

Sie haben keine von den Interessen des ganzen Proletariats getrennten Interessen.

Sie stellen keine besonderen[3] Prinzipien auf, wonach sie die proletarische Bewegung modeln[4] wollen.

Die Kommunisten unterscheiden sich von den übrigen proletarischen Parteien nur dadurch, dass sie einerseits[5] in den verschiedenen nationalen Kämpfen der Proletarier die gemeinsamen, von der Nationalität unabhängigen Interessen des gesamten Proletariats hervorheben und zur Geltung bringen, andrerseits dadurch, dass sie in den verschiedenen Entwicklungsstufen, welche der Kampf zwischen Proletariat und Bourgeoisie durchläuft, stets das Interesse der Gesamtbewegung vertreten.

Die Kommunisten sind also praktisch der entschiedenste,

1 1848 und 1872: weggezogen.
2 1848 und 1872: ihre.
3 1888: sektiererischen.
4 Formen.
5 1848, 1872 und 1883: einerseits sie.

immer weitertreibende Teil der Arbeiterparteien aller Länder; sie haben theoretisch vor der übrigen Masse des Proletariats die Einsicht in die Bedingungen, den Gang und die allgemeinen Resultate der proletarischen Bewegung voraus.

Der nächste Zweck der Kommunisten ist derselbe wie der aller übrigen proletarischen Parteien: Bildung des Proletariats zur Klasse, Sturz der Bourgeoisieherrschaft, Eroberung der politischen Macht durch das Proletariat.

Die theoretischen Sätze der Kommunisten beruhen keineswegs auf Ideen, auf Prinzipien, die von diesem oder jenem Weltverbesserer erfunden oder entdeckt sind.

Sie sind nur allgemeine Ausdrücke tatsächlicher Verhältnisse eines existierenden Klassenkampfes, einer unter unsern Augen vor sich gehenden geschichtlichen Bewegung. Die Abschaffung bisheriger Eigentumsverhältnisse ist nichts den[1] Kommunismus eigentümlich Bezeichnendes.

Alle Eigentumsverhältnisse waren einem beständigen geschichtlichen Wechsel, einer beständigen geschichtlichen Veränderung unterworfen.

Die Französische Revolution z. B. schaffte das Feudaleigentum zugunsten des bürgerlichen ab.

Was den Kommunismus auszeichnet, ist nicht die Abschaffung des Eigentums überhaupt, sondern die Abschaffung des bürgerlichen Eigentums.

Aber das moderne bürgerliche Privateigentum ist der letzte und vollendetste Ausdruck der Erzeugung und Aneignung der Produkte, die auf Klassengegensätzen,[2] auf der Ausbeutung der einen[3] durch die andern[4] beruht.

1 1872 und 1883: dem.
2 1848, 1872 und 1883 eingefügt: die.
3 1888: Mehrheit.
4 1888: Minderheit.

In diesem Sinn können die Kommunisten ihre Theorie in dem einen Ausdruck: Aufhebung des Privateigentums, zusammenfassen.

Man hat uns Kommunisten vorgeworfen, wir wollten das persönlich erworbene, selbsterarbeitete Eigentum abschaffen; das Eigentum, welches die Grundlage aller persönlichen Freiheit, Tätigkeit und Selbständigkeit bilde.

Erarbeitetes, erworbenes, selbstverdientes Eigentum! Sprecht ihr von dem kleinbürgerlichen, kleinbäuerlichen Eigentum, welches dem bürgerlichen Eigentum vorherging? Wir brauchen es nicht abzuschaffen, die Entwicklung der Industrie hat es abgeschafft und schafft es täglich ab.

Oder sprecht ihr vom modernen bürgerlichen Privateigentum?

Schafft aber die Lohnarbeit, die Arbeit des Proletariers ihm Eigentum? Keineswegs. Sie schafft das Kapital, d. h. das Eigentum, welches die Lohnarbeit ausbeutet, welches sich nur unter der Bedingung vermehren kann, dass es neue Lohnarbeit erzeugt, um sie von neuem auszubeuten. Das Eigentum in seiner heutigen Gestalt bewegt sich in dem Gegensatz von Kapital und Lohnarbeit. Betrachten wir die beiden Seiten dieses Gegensatzes.

Kapitalist sein heißt nicht nur eine rein persönliche, sondern eine gesellschaftliche Stellung in der Produktion einnehmen. Das Kapital ist ein gemeinschaftliches Produkt und kann nur durch eine gemeinsame Tätigkeit vieler Mitglieder, ja in letzter Instanz nur durch die gemeinsame Tätigkeit aller Mitglieder der Gesellschaft in Bewegung gesetzt werden.

Das Kapital ist also keine persönliche, es ist eine gesellschaftliche Macht.

Wenn also das Kapital in gemeinschaftliches, allen Mitgliedern der Gesellschaft angehöriges Eigentum verwandelt wird, so verwandelt sich nicht persönliches Eigentum in gesellschaftliches. Nur der gesellschaftliche Charakter des Eigentums verwandelt sich. Er verliert seinen Klassencharakter.

Kommen wir zur Lohnarbeit:

Der Durchschnittspreis der Lohnarbeit ist das Minimum des Arbeitslohnes, d.h. die Summe der Lebensmittel, die notwendig sind, um den Arbeiter am Leben zu erhalten. Was also der Lohnarbeiter durch seine Tätigkeit sich aneignet, reicht bloß dazu hin, um sein nacktes Leben wieder zu erzeugen. Wir wollen diese persönliche Aneignung der Arbeitsprodukte zur Wiedererzeugung des unmittelbaren Lebens keineswegs abschaffen, eine Aneignung, die keinen Reinertrag übrig lässt, der Macht über fremde Arbeit geben könnte. Wir wollen nur den elenden Charakter dieser Aneignung aufheben, worin der Arbeiter nur lebt, um das Kapital zu vermehren, nur so weit lebt, wie es das Interesse der herrschenden Klasse erheischt.

In der bürgerlichen Gesellschaft ist die lebendige Arbeit nur ein Mittel, die aufgehäufte Arbeit zu vermehren. In der kommunistischen Gesellschaft ist die aufgehäufte Arbeit nur ein Mittel, um den Lebensprozess der Arbeiter zu erweitern, zu bereichern, zu befördern.

In der bürgerlichen Gesellschaft herrscht also die Vergangenheit über die Gegenwart, in der kommunistischen die Gegenwart über die Vergangenheit. In der bürgerlichen Gesellschaft ist das Kapital selbständig und persönlich, während das tätige Individuum unselbständig und unpersönlich ist.

Und die Aufhebung dieses Verhältnisses nennt die Bourgeoisie Aufhebung der Persönlichkeit und Freiheit! Und mit Recht. Es handelt sich allerdings um die Aufhebung der Bourgeois-Persönlichkeit, -Selbständigkeit und -Freiheit.

Unter Freiheit versteht man innerhalb der jetzigen bürgerlichen Produktionsverhältnisse den freien Handel, den freien Kauf und Verkauf.

Fällt aber der Schacher[1], so fällt auch der freie Schacher. Die Redensarten vom freien Schacher, wie alle übrigen Freiheitsbravaden[2] unserer Bourgeoisie[3], haben überhaupt nur einen Sinn gegenüber dem gebundenen Schacher, gegenüber dem geknechteten Bürger des Mittelalters, nicht aber gegenüber der kommunistischen Aufhebung des Schachers, der bürgerlichen Produktionsverhältnisse und der Bourgeoisie selbst.

Ihr entsetzt euch darüber, dass wir das Privateigentum aufheben wollen. Aber in eurer bestehenden Gesellschaft ist das Privateigentum für neun Zehntel ihrer Mitglieder aufgehoben; es existiert gerade dadurch, dass es für neun Zehntel nicht existiert. Ihr werft uns also vor, dass wir ein Eigentum aufheben wollen, welches die Eigentumslosigkeit der ungeheuren Mehrzahl der Gesellschaft als notwendige Bedingung voraussetzt.

Ihr werft uns mit einem Worte vor, dass wir euer Eigentum aufheben wollen. Allerdings, das wollen wir.

Von dem Augenblick an, wo die Arbeit nicht mehr in Kapital, Geld, Grundrente, kurz in eine monopolisierbare gesellschaftliche Macht verwandelt werden kann, d.h. von dem Augenblick, wo das persönliche Eigentum nicht mehr in bürgerliches umschlagen kann, von dem Augenblick an erklärt ihr, die Person sei aufgehoben.

Ihr gesteht also, dass ihr unter der Person niemanden anders versteht als den Bourgeois, den bürgerlichen Eigentümer. Und diese Person soll allerdings aufgehoben werden.

Der Kommunismus nimmt keinem die Macht, sich gesellschaftliche Produkte anzueignen, er nimmt nur die Macht, sich durch diese Aneignung fremde Arbeit zu unterjochen.

1 Der Händler, der schachert, scharf um den Preis handelt.

2 Prahlereien.

3 1848: Bourgeois.

Man hat eingewendet, mit der Aufhebung des Privateigentums werde alle Tätigkeit aufhören und eine allgemeine Faulheit einreißen.

Hiernach müsste die bürgerliche Gesellschaft längst an der Trägheit zugrunde gegangen sein; denn *die* in ihr arbeiten, erwerben nicht, und *die* in ihr erwerben, arbeiten nicht. Das ganze Bedenken läuft auf die Tautologie hinaus, dass es keine Lohnarbeit mehr gibt, sobald es kein Kapital mehr gibt.

Alle Einwürfe, die gegen die kommunistische Aneignungs- und Produktionsweise der materiellen Produkte gerichtet werden, sind ebenso auf die Aneignung und Produktion der geistigen Produkte ausgedehnt worden. Wie für den Bourgeois das Aufhören des Klasseneigentums das Aufhören der Produktion selbst ist, so ist für ihn das Aufhören der Klassenbildung identisch mit dem Aufhören der Bildung überhaupt.

Die Bildung, deren Verlust er bedauert, ist für die enorme Mehrzahl die Heranbildung zur Maschine.

Aber streitet nicht mit uns, indem ihr an euren bürgerlichen Vorstellungen von Freiheit, Bildung, Recht usw. die Abschaffung des bürgerlichen Eigentums messt. Eure Ideen selbst sind Erzeugnisse der bürgerlichen Produktions- und Eigentumsverhältnisse, wie euer Recht nur der zum Gesetz erhobene Wille eurer Klasse ist, ein Wille, dessen Inhalt gegeben ist in den materiellen Lebensbedingungen eurer Klasse.

Die interessierte Vorstellung, worin ihr eure Produktions- und Eigentumsverhältnisse aus geschichtlichen, in dem Lauf der Produktion vorübergehenden Verhältnissen in ewige Natur- und Vernunftgesetze verwandelt, teilt ihr mit allen untergegangenen herrschenden Klassen. Was ihr für das antike Eigentum begreift, was ihr für das feudale Eigentum begreift, dürft ihr nicht mehr begreifen für das bürgerliche Eigentum.

Aufhebung der Familie! Selbst die Radikalsten ereifern sich über diese schändliche Absicht der Kommunisten.

Worauf beruht die gegenwärtige, die bürgerliche Familie? Auf dem Kapital, auf dem Privaterwerb. Vollständig entwickelt existiert sie nur für die Bourgeoisie; aber sie findet ihre Ergänzung in der erzwungenen Familienlosigkeit der Proletarier und der öffentlichen Prostitution.

Die Familie der[1] Bourgeois fällt natürlich weg mit dem Wegfallen dieser ihrer Ergänzung, und beide verschwinden mit dem Verschwinden des Kapitals.

Werft ihr uns vor, dass wir die Ausbeutung der Kinder durch ihre Eltern aufheben wollen? Wir gestehen dieses Verbrechen ein.

Aber, sagt ihr, wir heben die trautesten Verhältnisse auf, indem wir an die Stelle der häuslichen Erziehung die gesellschaftliche setzen.

Und ist nicht auch eure Erziehung durch die Gesellschaft bestimmt? Durch die gesellschaftlichen Verhältnisse, innerhalb derer[2] ihr erzieht, durch die direktere oder indirektere Einmischung der Gesellschaft vermittelst der Schule usw.? Die Kommunisten erfinden nicht die Einwirkung der Gesellschaft auf die Erziehung; sie verändern nur ihren Charakter, sie entreißen die Erziehung dem Einfluss einer herrschenden Klasse.

Die bürgerlichen Redensarten über Familie und Erziehung, über das traute Verhältnis von Eltern und Kindern werden um so ekelhafter, je mehr infolge der großen Industrie alle Familienbande für die Proletarier zerrissen und die Kinder in einfache Handelsartikel und Arbeitsinstrumente verwandelt werden.

Aber ihr Kommunisten wollt die Weibergemeinschaft einführen, schreit uns die ganze Bourgeoisie im Chor entgegen.

Der Bourgeois sieht in seiner Frau ein bloßes Produktionsinstrument. Er hört, dass die Produktionsinstrumente gemein-

1 1848: des.
2 1848: deren.

schaftlich ausgebeutet werden sollen, und kann sich natürlich nichts anderes denken, als dass das Los der Gemeinschaftlichkeit die Weiber gleichfalls treffen wird.

Er ahnt nicht, dass es sich eben darum handelt, die Stellung der Weiber als bloßer Produktionsinstrumente aufzuheben.

Übrigens ist nichts lächerlicher als das hochmoralische Entsetzen unsrer Bourgeois über die angebliche offizielle Weibergemeinschaft der Kommunisten. Die Kommunisten brauchen die Weibergemeinschaft nicht einzuführen, sie hat fast immer existiert.

Unsere Bourgeois, nicht zufrieden damit, dass ihnen die Weiber und Töchter ihrer Proletarier zur Verfügung stehen, von der offiziellen Prostitution gar nicht zu sprechen, finden ein Hauptvergnügen darin, ihre Ehefrauen wechselseitig zu verführen.

Die bürgerliche Ehe ist in Wirklichkeit die Gemeinschaft der Ehefrauen. Man könnte höchstens den Kommunisten vorwerfen, dass sie an[1] Stelle einer heuchlerisch versteckten eine offizielle, offenherzige Weibergemeinschaft einführen wollten[2]. Es versteht sich übrigens von selbst, dass mit Aufhebung der jetzigen Produktionsverhältnisse auch die aus ihnen hervorgehende Weibergemeinschaft, d.h. die offizielle und nichtoffizielle Prostitution, verschwindet.

Den Kommunisten ist ferner vorgeworfen worden, sie wollten das Vaterland, die Nationalität abschaffen.

Die Arbeiter haben kein Vaterland. Man kann ihnen nicht nehmen, was sie nicht haben. Indem das Proletariat zunächst sich die politische Herrschaft erobern, sich zur nationalen Klasse[3] erheben, sich selbst als Nation konstituieren muss, ist

1 1848 und 1872 eingefügt: der.
2 1848: wollen.
3 1888: zur führenden Klasse der Nation.

es selbst noch national, wenn auch keineswegs im Sinne der Bourgeoisie.

Die nationalen Absonderungen und Gegensätze der Völker verschwinden mehr und mehr schon mit der Entwicklung der Bourgeoisie, mit der Handelsfreiheit, dem Weltmarkt, der Gleichförmigkeit der industriellen Produktion und der ihr entsprechenden Lebensverhältnisse.

Die Herrschaft des Proletariats wird sie noch mehr verschwinden machen. Vereinigte Aktion, wenigstens der zivilisierten Länder, ist eine der ersten Bedingungen seiner Befreiung.

In dem Maße, wie die Exploitation[1] des einen Individuums durch das andere aufgehoben wird, wird die Exploitation einer Nation durch die andere aufgehoben.

Mit dem Gegensatz der Klassen im Innern der Nation[2] fällt die feindliche Stellung der Nationen gegeneinander.

Die Anklagen gegen den Kommunismus, die von religiösen, philosophischen und ideologischen Gesichtspunkten überhaupt erhoben werden, verdienen keine ausführlichere Erörterung.

Bedarf es tiefer Einsicht, um zu begreifen, dass mit den Lebensverhältnissen der Menschen, mit ihren gesellschaftlichen Beziehungen, mit ihrem gesellschaftlichen Dasein, auch ihre Vorstellungen, Anschauungen und Begriffe, mit einem Worte auch ihr Bewusstsein sich ändert?

Was beweist die Geschichte der Ideen anders, als dass die geistige Produktion sich mit der materiellen umgestaltet? Die herrschenden Ideen einer Zeit waren stets nur die Ideen der herrschenden Klasse.

Man spricht von Ideen, welche eine ganze Gesellschaft re-

1 Ausbeutung.
2 1848: Nationen.

volutionieren; man spricht damit nur die Tatsache aus, dass sich innerhalb der alten Gesellschaft die Elemente einer neuen gebildet haben, dass mit der Auflösung der alten Lebensverhältnisse die Auflösung der alten Ideen gleichen Schritt hält.

Als die alte Welt im Untergehen begriffen war, wurden die alten Religionen von der christlichen Religion besiegt. Als die christlichen Ideen im 18. Jahrhundert den Aufklärungsideen unterlagen, rang die feudale Gesellschaft ihren Todeskampf mit der damals revolutionären Bourgeoisie. Die Ideen der Gewissens- und Religionsfreiheit sprachen nur die Herrschaft der freien Konkurrenz auf dem Gebiet des Wissens[1] aus.

»Aber«, wird man sagen, »religiöse, moralische, philosophische, politische, rechtliche Ideen usw. modifizierten sich allerdings im Lauf der geschichtlichen Entwicklung. Die Religion, die Moral, die Philosophie, die Politik, das Recht erhielten sich stets in diesem Wechsel.

Es gibt zudem ewige Wahrheiten, wie Freiheit, Gerechtigkeit usw., die allen gesellschaftlichen Zuständen gemeinsam sind. Der Kommunismus aber schafft die ewigen Wahrheiten ab, er schafft die Religion ab, die Moral, statt sie neu zu gestalten, er widerspricht also allen bisherigen geschichtlichen Entwicklungen.«

Worauf reduziert sich diese Anklage? Die Geschichte der ganzen bisherigen Gesellschaft bewegte sich in Klassengegensätzen, die in den verschiedenen Epochen verschieden gestaltet waren.

Welche Form sie aber auch immer angenommen, die Ausbeutung des einen Teils der Gesellschaft durch den andern ist eine allen vergangenen Jahrhunderten gemeinsame Tatsache. Kein Wunder daher, dass das gesellschaftliche Bewusstsein

1 1848: Gewissens.

aller Jahrhunderte, aller Mannigfaltigkeit und Verschiedenheit zum Trotz, in gewissen gemeinsamen Formen sich bewegt, in[1] Bewusstseinsformen, die nur mit dem gänzlichen Verschwinden des Klassengegensatzes sich vollständig auflösen.

Die kommunistische Revolution ist das radikalste Brechen mit den überlieferten Eigentumsverhältnissen; kein Wunder, dass in ihrem Entwicklungsgange am radikalsten mit den überlieferten Ideen gebrochen wird.

Doch lassen wir die Einwürfe der Bourgeoisie gegen den Kommunismus.

Wir sahen schon oben, dass der erste Schritt in der Arbeiterrevolution die Erhebung des Proletariats zur herrschenden Klasse, die Erkämpfung der Demokratie ist.

Das Proletariat wird seine politische Herrschaft dazu benutzen, der Bourgeoisie nach und nach alles Kapital zu entreißen, alle Produktionsinstrumente in den Händen des Staats, d.h. des als herrschende Klasse organisierten Proletariats, zu zentralisieren und die Masse der Produktionskräfte möglichst rasch zu vermehren.

Es kann dies natürlich zunächst nur geschehn vermittelst despotischer Eingriffe in das Eigentumsrecht und in die bürgerlichen Produktionsverhältnisse, durch Maßregeln also, die ökonomisch unzureichend und unhaltbar erscheinen, die aber im Lauf der Bewegung über sich selbst hinaustreiben und als Mittel zur Umwälzung der ganzen Produktionsweise unvermeidlich sind.

Diese Maßregeln werden natürlich je nach den verschiedenen Ländern verschieden sein.

Für die fortgeschrittensten Länder werden jedoch die folgenden ziemlich allgemein in Anwendung kommen können:

1 1848, 1872 und 1883: Formen.

1. Expropriation[1] des Grundeigentums und Verwendung der Grundrente zu Staatsausgaben.

2. Starke Progressivsteuer.

3. Abschaffung des Erbrechts.

4. Konfiskation[2] des Eigentums aller Emigranten und Rebellen.

5. Zentralisation des Kredits in den Händen des Staats durch eine Nationalbank mit Staatskapital und ausschließlichem Monopol.

6. Zentralisation des[3] Transportwesens in den Händen des Staats.

7. Vermehrung der Nationalfabriken, Produktionsinstrumente, Urbarmachung und Verbesserung der Ländereien nach einem gemeinschaftlichen Plan.

8. Gleicher Arbeitszwang für alle, Errichtung industrieller Armeen, besonders für den Ackerbau.

9. Vereinigung des Betriebs von Ackerbau und Industrie, Hinwirken auf die allmähliche Beseitigung des Unterschieds[4] von Stadt und Land.

10. Öffentliche und unentgeltliche Erziehung aller Kinder. Beseitigung der Fabrikarbeit der Kinder in ihrer heutigen Form. Vereinigung der Erziehung mit der materiellen Produktion usw.[5]

Sind im Laufe der Entwicklung die Klassenunterschiede verschwunden und ist alle Produktion in den Händen der assoziierten Individuen konzentriert, so verliert die öffentliche Gewalt den politischen Charakter. Die politische Gewalt im

1 Enteignung.
2 Enteignung, Beschlagnahmung.
3 1848: alles.
4 1848: Gegensatzes.
5 1848, 1872 und 1883: usw., usw.

eigentlichen Sinn ist die organisierte Gewalt einer Klasse zur Unterdrückung einer andern. Wenn das Proletariat im Kampfe gegen die Bourgeoisie sich notwendig zur Klasse vereint, durch eine Revolution sich zur herrschenden Klasse macht und als herrschende Klasse gewaltsam die alten Produktionsverhältnisse aufhebt, so hebt es mit diesen Produktionsverhältnissen die Existenzbedingungen des Klassengegensatzes, die[1] Klassen überhaupt, und damit seine eigene Herrschaft als Klasse auf.

An die Stelle der alten bürgerlichen Gesellschaft mit ihren Klassen und Klassengegensätzen tritt eine Assoziation, worin die freie Entwicklung eines jeden die Bedingung für die freie Entwicklung aller ist.

III Sozialistische und kommunistische Literatur

1. Der reaktionäre Sozialismus

a) Der feudale Sozialismus

Die französische und englische Aristokratie war ihrer geschichtlichen Stellung nach dazu berufen, Pamphlete gegen die moderne bürgerliche Gesellschaft zu schreiben. In der französischen Julirevolution von 1830, in der englischen Reformbewegung war sie noch einmal dem verhassten Emporkömmling erlegen. Von einem ernsten politischen Kampfe konnte nicht mehr die Rede sein. Nur der literarische Kampf blieb ihr übrig. Aber auch auf dem Gebiete der Literatur waren die alten Redensarten der

1 1848: der.

Restaurationszeit* unmöglich geworden. Um Sympathie zu erregen, musste die Aristokratie scheinbar ihre Interessen aus dem Auge[1] verlieren und nur[2] im Interesse der exploitierten Arbeiterklasse ihren Anklageakt gegen die Bourgeoisie formulieren. Sie bereitete so die Genugtuung vor, Schmählieder auf ihren neuen Herrscher singen und mehr oder minder unheilschwangere Prophezeiungen ihm ins Ohr raunen zu dürfen.

Auf diese Art entstand der feudalistische Sozialismus, halb Klagelied, halb Pasquill[3], halb Rückhall der Vergangenheit, halb Dräuen[4] der Zukunft, mitunter die Bourgeoisie ins Herz treffend durch bitteres, geistreich zerreißendes Urteil, stets komisch wirkend durch gänzliche Unfähigkeit, den Gang der modernen Geschichte zu begreifen.

Den proletarischen Bettelsack[5] schwenkten sie als Fahne in der Hand, um das Volk hinter sich her zu versammeln. Sooft es ihnen aber folgte, erblickte es auf ihrem Hintern die alten feudalen Wappen und verlief sich mit lautem und unehrerbietigem Gelächter.

Ein Teil der französischen Legitimisten und das Junge England gaben dies Schauspiel zum besten.

Wenn die Feudalen beweisen, dass ihre Weise der Ausbeutung anders gestaltet war als die bürgerliche Ausbeutung, so vergessen sie nur, dass sie unter gänzlich verschiedenen und

* Gemeint ist nicht die englische Restaurationszeit 1660–1689, sondern die französische Restaurationszeit 1814–1830. [*Anmerkung von Engels zur englischen Ausgabe von 1888.*]

1 1848, 1872 und 1883: den Augen.
2 1848 eingefügt: noch.
3 Schmähschrift.
4 Drohen.
5 1848 und 1872: Bettlersack.

jetzt überlebten Umständen und Bedingungen ausbeuteten. Wenn sie nachweisen, dass unter ihrer Herrschaft nicht das moderne Proletariat existiert hat, so vergessen sie nur, dass eben die moderne Bourgeoisie ein notwendiger Sprössling ihrer Gesellschaftsordnung war.

Übrigens verheimlichen sie den reaktionären Charakter ihrer Kritik so wenig, dass ihre Hauptanklage gegen die Bourgeoisie eben darin besteht, unter ihrem Regime entwickle sich eine Klasse, welche die ganze alte Gesellschaftsordnung in die Luft sprengen werde.

Sie werfen der Bourgeoisie mehr noch vor, dass sie ein revolutionäres Proletariat, als dass sie überhaupt ein Proletariat erzeugt.

In der politischen Praxis nehmen sie daher an allen Gewaltmaßregeln gegen die Arbeiterklasse teil, und im gewöhnlichen Leben bequemen sie sich, allen ihren aufgeblähten Redensarten zum Trotz die goldnen Äpfel[1] aufzulesen und Treue, Liebe, Ehre mit dem Schacher in Schafswolle, Runkelrüben und Schnaps zu vertauschen.*

Wie der Pfaffe immer Hand in Hand ging mit dem Feudalen, so der pfäffische Sozialismus mit dem feudalistischen.

* Dies bezieht sich hauptsächlich auf Deutschland, wo der Landadel und das Junkertum einen großen Teil ihrer Güter auf eigene Rechnung durch ihre Verwalter bewirtschaften lassen und daneben noch Großproduzenten von Rübenzucker und Kartoffelschnaps sind. Die reicheren englischen Aristokraten sind noch nicht so weit heruntergekommen; aber auch sie wissen, wie man das Sinken der Rente wettmachen kann durch die Hergabe ihres Namens an mehr oder weniger zweifelhafte Gründer von Aktiengesellschaften. [*Anmerkung von Engels zur englischen Ausgabe von 1888.*]

1 1888 eingefügt: die vom Baum der Industrie abgefallen sind.

Nichts leichter, als dem christlichen Asketismus[1] einen sozialistischen Anstrich zu geben. Hat das Christentum nicht auch gegen das Privateigentum, gegen die Ehe, gegen den Staat geeifert? Hat es nicht die Wohltätigkeit und den Bettel, das Zölibat und die Fleischesertötung, das Zellenleben und die Kirche an ihrer[2] Stelle gepredigt? Der christliche[3] Sozialismus ist nur das Weihwasser, womit der Pfaffe den Ärger des Aristokraten einsegnet.

b) Kleinbürgerlicher Sozialismus

Die feudale Aristokratie ist nicht die einzige Klasse, welche durch die Bourgeoisie gestürzt wurde, deren Lebensbedingungen in der modernen bürgerlichen Gesellschaft verkümmerten und abstarben. Das mittelalterliche Pfahlbürgertum und der kleine Bauernstand waren die Vorläufer der modernen Bourgeoisie. In den weniger industriell und kommerziell entwickelten Ländern vegetiert diese Klasse noch fort neben der aufkommenden Bourgeoisie.

In den Ländern, wo sich die moderne Zivilisation entwickelt hat, hat sich eine neue Kleinbürgerschaft gebildet, die zwischen dem Proletariat und der Bourgeoisie schwebt und als ergänzender Teil der bürgerlichen Gesellschaft stets von neuem sich bildet, deren Mitglieder aber beständig durch die Konkurrenz ins Proletariat hinabgeschleudert werden, ja selbst mit der Entwicklung der großen Industrie einen Zeitpunkt herannahen sehen, wo sie als selbständiger Teil der modernen Gesellschaft gänzlich verschwinden und im Handel, in der Manu-

1 Entsagung.
2 1848: ihre.
3 1848: heilige.

faktur, in der Agrikultur durch Arbeitsaufseher und Domestiken[1] ersetzt werden.

In Ländern wie in Frankreich, wo die Bauernklasse weit mehr als die Hälfte der Bevölkerung ausmacht, war es natürlich, dass Schriftsteller, die für das Proletariat gegen die Bourgeoisie auftraten, an ihre Kritik des Bourgeoisregimes den kleinbürgerlichen und kleinbäuerlichen Maßstab anlegten und die Partei der Arbeiter vom Standpunkt des Kleinbürgertums ergriffen. Es bildete sich so der kleinbürgerliche Sozialismus. Sismondi[2] ist das Haupt dieser Literatur nicht nur für Frankreich, sondern auch für England.

Dieser Sozialismus zergliederte höchst scharfsinnig die Widersprüche in den modernen Produktionsverhältnissen. Er enthüllte die gleisnerischen[3] Beschönigungen der Ökonomen. Er wies unwiderleglich die zerstörenden Wirkungen der Maschinerie und der Teilung der Arbeit nach, die Konzentration der Kapitalien und des Grundbesitzes, die Überproduktion, die Krisen, den notwendigen Untergang der kleinen Bürger und Bauern, das Elend des Proletariats, die Anarchie in der Produktion, die schreienden Missverhältnisse in der Verteilung des Reichtums, den industriellen Vernichtungskrieg der Nationen untereinander, die Auflösung der alten Sitten, der alten Familienverhältnisse, der alten Nationalitäten.

Seinem positiven Gehalte nach will jedoch dieser Sozialismus entweder die alten Produktions- und Verkehrsmittel wiederherstellen und mit ihnen die alten Eigentumsverhältnisse und die alte Gesellschaft, oder er will die modernen Produktions- und Verkehrsmittel in den Rahmen der alten Eigen-

1 Abwertend für Dienstbote.
2 Jean-Charles-Léonard Simone de Sismondi (1773–1842), Schweizer Historiker, Ökonom, Kritiker der engl. Nationalökonomie.
3 Heuchlerisch, unehrlich.

tumsverhältnisse, die von ihnen gesprengt werden, gesprengt werden mussten, gewaltsam wieder einsperren. In beiden Fällen ist er reaktionär und utopistisch zugleich.

Zunftwesen in der Manufaktur und patriarchalische Wirtschaft auf dem Lande, das sind seine letzten Worte.

In ihrer weiteren Entwicklung hat sich diese Richtung in einen feigen Katzenjammer verlaufen.[1]

c) Der deutsche oder der »wahre« Sozialismus

Die sozialistische und kommunistische Literatur Frankreichs, die unter dem Druck einer herrschenden Bourgeoisie entstand und der literarische Ausdruck des Kampfes gegen diese Herrschaft ist, wurde nach Deutschland eingeführt zu einer Zeit, wo die Bourgeoisie soeben ihren Kampf gegen den feudalen Absolutismus begann.

Deutsche Philosophen, Halbphilosophen und Schöngeister bemächtigten sich gierig dieser Literatur und vergaßen nur, dass bei der Einwanderung jener Schriften aus Frankreich die französischen Lebensverhältnisse nicht gleichzeitig nach Deutschland eingewandert waren. Den deutschen Verhältnissen gegenüber verlor die französische Literatur alle unmittelbar praktische Bedeutung und nahm ein rein literarisches Aussehen an. Als müßige Spekulation[2] über die Verwirklichung des menschlichen Wesens musste sie erscheinen. So hatten für die deutschen Philosophen des 18. Jahrhunderts die Forderungen der ersten französischen Revolution nur den Sinn, Forderungen der »praktischen Vernunft« im allgemeinen

1 1888: Schließlich, als die hartnäckigen geschichtlichen Tatsachen jeden Rausch des Selbstbetrugs verscheucht hatten, artete diese Form des Sozialismus in einen erbärmlichen Katzenjammer aus.
2 1848 eingefügt: über die wahre Gesellschaft.

zu sein, und die Willensäußerungen der revolutionären französischen Bourgeoisie bedeuteten in ihren Augen die Gesetze des reinen Willens, des Willens, wie er sein muss, des wahrhaft menschlichen Willens.

Die ausschließliche Arbeit der deutschen Literaten bestand darin, die neuen französischen Ideen mit ihrem alten philosophischen Gewissen in Einklang zu setzen oder vielmehr von ihrem philosophischen Standpunkte aus die französischen Ideen sich anzueignen.

Diese Aneignung geschah in derselben Weise, wodurch man sich überhaupt eine fremde Sprache aneignet, durch die Übersetzung.

Es ist bekannt, wie die Mönche Manuskripte, worauf die klassischen Werke der alten Heidenzeit verzeichnet waren, mit abgeschmackten katholischen Heiligengeschichten überschrieben. Die deutschen Literaten gingen umgekehrt mit der profanen[1] französischen Literatur um. Sie schrieben ihren philosophischen Unsinn hinter das französische Original. Z. B. hinter die französische Kritik der Geldverhältnisse schrieben sie »Entäußerung des menschlichen Wesens«, hinter die französische Kritik des Bourgeoisstaates schrieben sie »Aufhebung der Herrschaft des abstrakt Allgemeinen« usw.

Die[2] Unterschiebung dieser[3] philosophischen Redensarten unter die französischen Entwicklungen tauften sie »Philosophie der Tat«, »wahrer Sozialismus«, »deutsche Wissenschaft des Sozialismus«, »philosophische Begründung des Sozialismus« usw.

Die französische sozialistisch-kommunistische Literatur wurde so förmlich entmannt. Und da sie in der Hand des

1 Hier: weltlichen.
2 1848: Diese.
3 1848: ihrer.

Deutschen aufhörte, den Kampf einer Klasse gegen die andre auszudrücken, so war der Deutsche sich bewusst, die »französische Einseitigkeit« überwunden, statt wahrer Bedürfnisse das Bedürfnis der Wahrheit und statt die Interessen des Proletariers die Interessen des menschlichen Wesens, des Menschen überhaupt vertreten zu haben, des Menschen, der keiner Klasse, der überhaupt nicht der Wirklichkeit, der nur dem Dunsthimmel der philosophischen Phantasie angehört.

Dieser deutsche Sozialismus, der seine unbeholfenen Schulübungen so ernst und feierlich nahm und so marktschreierisch ausposaunte, verlor indes nach und nach seine pedantische[1] Unschuld.

Der Kampf der deutschen, namentlich der preußischen Bourgeoisie gegen die Feudalen und das absolute Königtum, mit einem Wort, die liberale Bewegung wurde ernsthafter.

Dem »wahren« Sozialismus war so erwünschte Gelegenheit geboten, der politischen Bewegung die sozialistischen Forderungen gegenüberzustellen, die überlieferten Anatheme[2] gegen den Liberalismus, gegen den Repräsentativstaat, gegen die bürgerliche Konkurrenz, bürgerliche Pressfreiheit, bürgerliches Recht, bürgerliche Freiheit und Gleichheit zu schleudern und der Volksmasse vorzupredigen, wie sie bei dieser bürgerlichen Bewegung nichts zu gewinnen, vielmehr alles zu verlieren habe. Der deutsche Sozialismus vergaß rechtzeitig, dass die französische Kritik, deren geistloses Echo er war, die moderne bürgerliche Gesellschaft mit den entsprechenden materiellen Lebensbedingungen und der angemessenen politischen Konstitution vorausgesetzt[3], lauter Voraussetzungen, um deren Erkämpfung es sich erst in Deutschland handelte.

1 Übermäßig ordnungsliebend.
2 Kirchenbann; hier: Verfluchungen.
3 1848: voraussetzt.

Er diente den deutschen absoluten Regierungen mit ihrem Gefolge von Pfaffen, Schulmeistern, Krautjunkern[1] und Bürokraten als erwünschte Vogelscheuche gegen die drohend aufstrebende Bourgeoisie.

Er bildete die süßliche Ergänzung zu den bitteren Peitschenhieben und Flintenkugeln, womit dieselben Regierungen die deutschen Arbeiteraufstände bearbeiteten.

Ward der »wahre« Sozialismus dergestalt eine Waffe in der Hand der Regierungen gegen die deutsche Bourgeoisie, so vertrat er auch unmittelbar ein reaktionäres Interesse, das Interesse der deutschen Pfahlbürgerschaft[2]. In Deutschland bildet das vom 16. Jahrhundert her überlieferte und seit der Zeit in verschiedener Form hier immer neu wieder auftauchende Kleinbürgertum die eigentliche gesellschaftliche Grundlage der bestehenden Zustände.

Seine Erhaltung ist die Erhaltung der bestehenden deutschen Zustände. Von der industriellen und politischen Herrschaft der Bourgeoisie fürchtet es den sichern Untergang, einerseits infolge der Konzentration des Kapitals, andrerseits durch das Aufkommen eines revolutionären Proletariats. Der »wahre« Sozialismus schien ihm beide Fliegen mit einer Klappe zu schlagen. Er verbreitete sich wie eine Epidemie.

Das Gewand, gewirkt[3] aus spekulativem Spinnweb, überstickt mit schöngeistigen Redeblumen, durchtränkt von liebesschwülem Gemütstau, dies überschwengliche Gewand, worin die deutschen Sozialisten ihre paar knöchernen »ewigen Wahrheiten« einhüllten, vermehrte nur den Absatz ihrer Ware bei diesem Publikum.

Seinerseits erkannte der deutsche Sozialismus immer mehr

1 Abschätzig für einen preußischen Großgrundbesitzer.

2 1888: Philister.

3 Gewebt.

seinen Beruf, der hochtrabende Vertreter dieser Pfahlbürgerschaft zu sein.

Er proklamierte die deutsche Nation als die normale Nation und den deutschen Spießbürger[1] als den Normalmenschen. Er gab jeder Niedertracht desselben einen verborgenen, höheren, sozialistischen Sinn, worin sie ihr Gegenteil bedeutete. Er zog die letzte Konsequenz, indem er direkt gegen die »rohdestruktive« Richtung des Kommunismus auftrat und seine unparteiische Erhabenheit über alle Klassenkämpfe verkündete. Mit sehr wenigen Ausnahmen gehört alles, was in Deutschland von angeblich sozialistischen und kommunistischen Schriften zirkuliert, in den Bereich dieser schmutzigen entnervenden Literatur.*

2. Der konservative oder Bourgeoissozialismus

Ein Teil der Bourgeoisie wünscht den sozialen Missständen abzuhelfen, um den Bestand der bürgerlichen Gesellschaft zu sichern.

Es gehören hierher Ökonomisten, Philanthropen[2], Humanitäre, Verbesserer der Lage der arbeitenden Klassen, Wohltätigkeitsorganisierer, Abschaffer der Tierquälerei, Mäßigkeitsvereinsstifter, Winkelreformer der buntscheckigsten Art. Und

* Der Revolutionssturm von 1848 hat diese gesamte schäbige Richtung weggefegt und ihren Trägern die Lust benommen, noch weiter in Sozialismus zu machen. Hauptvertreter und klassischer Typus dieser Richtung ist Herr Carl Grün. [*Anmerkung von Engels zur deutschen Ausgabe von 1890.*]

1 1888: deutschen kleinen Philister.

2 Menschenfreunde.

auch zu ganzen Systemen ist dieser Bourgeoissozialismus ausgearbeitet worden.

Als Beispiel führen wir Proudhons[1] »Philosophie de la misère« an.

Die sozialistischen Bourgeois wollen die Lebensbedingungen der modernen Gesellschaft ohne die notwendig daraus hervorgehenden Kämpfe und Gefahren. Sie wollen die bestehende Gesellschaft mit Abzug der sie revolutionierenden und sie auflösenden Elemente. Sie wollen die Bourgeoisie ohne das Proletariat. Die Bourgeoisie stellt sich die Welt, worin sie herrscht, natürlich als die beste Welt vor.[2] Der Bourgeoissozialismus arbeitet diese tröstliche Vorstellung zu einem halben oder ganzen System aus. Wenn er das Proletariat auffordert, seine Systeme zu verwirklichen und[3] in das neue Jerusalem[4] einzugehen, so verlangt er im Grunde nur, dass es in der jetzigen Gesellschaft stehenbleibe, aber seine gehässigen Vorstellungen von derselben abstreife.

Eine zweite, weniger systematische, nur[5] mehr praktische Form d[ies]es Sozialismus suchte der Arbeiterklasse jede revolutionäre Bewegung zu verleiden, durch den Nachweis, wie nicht diese oder jene politische Veränderung, sondern nur eine Veränderung der materiellen Lebensverhältnisse, der ökonomischen Verhältnisse ihr von Nutzen sein könne. Unter Veränderung der materiellen Lebensverhältnisse versteht dieser Sozialismus aber keineswegs Abschaffung der bürgerlichen

1 Vgl. Anm. 1, S. 16.
2 Anspielung auf Leibniz' Idee von der besten aller möglichen Welten.
3 1848, 1872 und 1883: , um.
4 Auch »himmlisches Jerusalem«, vgl. Offenbarung des Johannes 21, neue Stadt, die nach der Apokalypse entsteht.
5 1848, 1872 und 1883: und.

Produktionsverhältnisse, die nur auf revolutionärem Wege möglich ist, sondern administrative[1] Verbesserungen, die auf dem Boden dieser Produktionsverhältnisse vor sich gehen, also an dem Verhältnis von Kapital und Lohnarbeit nichts ändern, sondern im besten Fall der Bourgeoisie die Kosten ihrer Herrschaft vermindern und ihren Staatshaushalt vereinfachen.

Seinen entsprechenden Ausdruck erreicht der Bourgeoissozialismus erst da, wo er zur bloßen rednerischen Figur wird.

Freier Handel! im Interesse der arbeitenden Klasse; Schutzzölle! im Interesse der arbeitenden Klasse; Zellengefängnisse! im Interesse der arbeitenden Klasse, das ist das letzte, das einzig ernstgemeinte Wort des Bourgeoissozialismus.

Der Sozialismus der Bourgeoisie[2] besteht eben in der Behauptung, dass die Bourgeois Bourgeois sind – im Interesse der arbeitenden Klasse.

3. Der kritisch-utopistische Sozialismus und Kommunismus

Wir reden hier nicht von der Literatur, die in allen großen modernen Revolutionen die Forderungen des Proletariats aussprach. (Schriften Babeufs[3] etc.)

Die ersten Versuche des Proletariats, in einer Zeit allgemeiner Aufregung, in der Periode des Umsturzes der feudalen Gesellschaft direkt sein eignes Klasseninteresse durchzusetzen, scheiterten notwendig an der unentwickelten Gestalt des Pro-

1 Die Verwaltung betreffende.
2 1848: Ihr Sozialismus.
3 François Noël Babeuf (1760–1797), Journalist mit wichtiger Rolle in der Revolution von 1789, Verfechter eines real umgesetzten Sozialismus.

letariats selbst, wie an dem Mangel der materiellen Bedingungen seiner Befreiung, die eben erst das Produkt der bürgerlichen Epoche sind. Die revolutionäre Literatur, welche diese ersten Bewegungen des Proletariats begleitete, ist dem Inhalt nach notwendig reaktionär. Sie lehrt einen allgemeinen Asketismus[1] und eine rohe Gleichmacherei.

Die eigentlich sozialistischen und kommunistischen Systeme, die Systeme St-Simons[2], Fourriers[3], Owens[4] usw., tauchen auf in der ersten, unentwickelten Periode des Kampfs zwischen Proletariat und Bourgeoisie, die wir oben dargestellt haben. (S[iehe] Bourgeoisie und Proletariat.)

Die Erfinder dieser Systeme sehen zwar den Gegensatz der Klassen wie die Wirksamkeit der auflösenden Elemente in der herrschenden Gesellschaft selbst. Aber sie erblicken auf der Seite des Proletariats keine geschichtliche Selbsttätigkeit, keine ihm eigentümliche politische Bewegung.

Da die Entwicklung des Klassengegensatzes gleichen Schritt hält mit der Entwicklung der Industrie, finden sie ebensowenig die materiellen Bedingungen zur Befreiung des Proletariats vor und suchen nach einer sozialen Wissenschaft, nach sozialen Gesetzen, um diese Bedingungen zu schaffen.

An die Stelle der gesellschaftlichen Tätigkeit muss ihre persönlich erfinderische Tätigkeit treten, an die Stelle der geschichtlichen Bedingungen der Befreiung phantastische, an die Stelle der allmählich vor sich gehenden Organisation des Prole-

1 Entsagung.
2 Henri de Saint-Simon (1760–1825), Publizist und bedeutender Frühsozialist, der die These vertrat, dass der Einzelne ausschließlich nach seinem aktiven Anteil am gemeinsam erarbeiteten Wohlstand der Gesellschaft bewertet werden soll.
3 Vgl. Anm. 2, S. 19.
4 Vgl. Anm. 1, S. 19.

tariats zur Klasse eine eigens ausgeheckte Organisation der Gesellschaft. Die kommende Weltgeschichte löst sich für sie auf in die Propaganda und die praktische Ausführung ihrer Gesellschaftspläne.

Sie sind sich zwar bewusst, in ihren Plänen hauptsächlich das Interesse der arbeitenden Klasse als der leidendsten Klasse zu vertreten. Nur unter diesem Gesichtspunkt der leidendsten Klasse existiert das Proletariat für sie.

Die unentwickelte Form des Klassenkampfes wie ihre eigene Lebenslage bringen es aber mit sich, dass sie weit über jenen Klassengegensatz erhaben zu sein glauben. Sie wollen die Lebenslage aller Gesellschaftsglieder, auch der bestgestellten, verbessern. Sie appellieren daher fortwährend an die ganze Gesellschaft ohne Unterschied, ja vorzugsweise an die herrschende Klasse. Man braucht ihr System ja nur zu verstehen, um es als den bestmöglichen Plan der bestmöglichen Gesellschaft anzuerkennen.

Sie verwerfen daher alle politische, namentlich alle revolutionäre Aktion, sie wollen ihr Ziel auf friedlichem Wege erreichen und versuchen, durch kleine, natürlich fehlschlagende Experimente, durch die Macht des Beispiels dem neuen gesellschaftlichen Evangelium Bahn zu brechen.

Die[1] phantastische Schilderung der zukünftigen Gesellschaft entspringt[2] in einer Zeit, wo das Proletariat noch höchst unentwickelt ist, also selbst noch phantastisch seine eigene Stellung auffasst, seinem ersten ahnungsvollen Drängen nach einer allgemeinen Umgestaltung der Gesellschaft.

Die sozial[istisch]en und kommunistischen Schriften bestehen aber auch aus kritischen Elementen. Sie greifen alle Grundlagen der bestehenden Gesellschaft an. Sie haben daher

1 1848: Diese.
2 1848: entspricht.

höchst wertvolles Material zur Aufklärung der Arbeiter geliefert. Ihre positiven Sätze über die zukünftige Gesellschaft, z. B. Aufhebung des Gegensatzes zwischen[1] Stadt und Land, der Familie, des Privaterwerbs, der Lohnarbeit, die Verkündung der gesellschaftlichen Harmonie, die Verwandlung des Staates in eine bloße Verwaltung der Produktion – alle diese ihre Sätze drücken bloß das Wegfallen des Klassengegensatzes aus, der eben erst sich zu entwickeln beginnt, den sie nur noch in seiner ersten gestaltlosen Unbestimmtheit kennen. Diese Sätze selbst haben daher noch einen rein utopistischen Sinn.

Die Bedeutung des kritisch-utopistischen Sozialismus und Kommunismus steht im umgekehrten Verhältnis zur geschichtlichen Entwicklung. In demselben Maße, worin der Klassenkampf sich entwickelt und gestaltet, verliert diese phantastische Erhebung über denselben, diese phantastische Bekämpfung desselben allen praktischen Wert, alle theoretische Berechtigung. Waren daher die Urheber dieser Systeme auch in vieler Beziehung revolutionär, so bilden ihre Schüler jedesmal reaktionäre Sekten. Sie halten die alten Anschauungen der Meister fest gegenüber der geschichtlichen Fortentwicklung des Proletariats. Sie suchen daher konsequent den Klassenkampf wieder abzustumpfen und die Gegensätze zu vermitteln. Sie träumen noch immer die versuchsweise Verwirklichung ihrer gesellschaftlichen Utopien, Stiftung einzelner Phalanstere, Gründung von Home-Kolonien, Errichtung eines kleinen Ikariens* –

* Phalanstere war die Bezeichnung für die von Charles Fourier geplanten sozialistischen Kolonien; Ikarien nannte Cabet seine Utopie und später seine kommunistische Kolonie in Amerika. [*Anmerkung von Engels zur englischen Ausgabe von 1888.*] Home-Kolonien (Kolonien im Inland) nennt Owen seine kom-

1 1848: von.

Duodezausgabe[1] des neuen Jerusalems –, und zum Aufbau aller dieser spanischen Schlösser[2] müssen sie an die Philanthropie der bürgerlichen Herzen und Geldsäcke appellieren. Allmählich fallen sie in die Kategorie der oben geschilderten reaktionären oder konservativen Sozialisten und unterscheiden sich nur noch[3] von ihnen durch mehr systematische Pedanterie, durch den fanatischen Aberglauben an die Wunderwirkungen ihrer sozialen Wissenschaft.

Sie treten daher mit Erbitterung aller politischen Bewegung der Arbeiter entgegen, die nur aus blindem Unglauben an das neue Evangelium hervorgehen konnte.

Die Owenisten in England, die Fourrieristen in Frankreich reagieren dort gegen die Chartisten[4], hier gegen die Reformisten.

munistischen Mustergesellschaften. Phalanstere war der Name der von Fourier geplanten gesellschaftlichen Paläste. Ikarien hieß das utopische Phantasieland, dessen kommunistische Einrichtungen Cabet schilderte. [*Anmerkung von Engels zur deutschen Ausgabe von 1890.*]

1 Altes, kleines Buchformat.
2 Hier: Einbildungen.
3 1848: mehr.
4 Politische Reformbewegung im England des 19. Jh.s, die für Gewerkschaften und Arbeitsbegrenzung eintrat.

IV Stellung der Kommunisten zu den verschiedenen oppositionellen Parteien

Nach Abschnitt II versteht sich das Verhältnis der Kommunisten zu den bereits konstituierten Arbeiterparteien von selbst, also ihr Verhältnis zu den Chartisten in England und den agrarischen Reformern in Nordamerika.

Sie kämpfen für die Erreichung der unmittelbar vorliegenden Zwecke und Interessen der Arbeiterklasse, aber sie vertreten in der gegenwärtigen Bewegung zugleich die Zukunft der Bewegung. In Frankreich schließen sich die Kommunisten an die sozialistisch-demokratische* Partei an gegen die konservative und radikale Bourgeoisie, ohne darum das Recht aufzugeben, sich kritisch zu den aus der revolutionären Überlieferung herrührenden Phrasen und Illusionen zu verhalten.

In der Schweiz unterstützen sie die Radikalen, ohne zu verkennen, dass diese Partei aus widersprechenden Elementen besteht, teils aus demokratischen Sozialisten im französischen Sinn, teils aus radikalen Bourgeois.

Unter den Polen unterstützen die Kommunisten die Partei, welche eine agrarische Revolution zur Bedingung der nationalen Befreiung macht, dieselbe Partei, welche die Krakauer Insurrektion[1] von 1846 ins Leben rief.

* Die Partei, die damals im Parlament von Ledru-Rollin, in der Literatur von Louis Blanc und in der Tagespresse von der »*Réforme*« vertreten wurde. Der Name »Sozialdemokratie« bedeutete bei diesen ihren Erfindern eine Sektion der demokratischen oder republikanischen Partei mit mehr oder weniger sozialistischer Färbung. [*Anmerkung von Engels zur englischen Ausgabe von 1888.*] Die damals sich sozialistisch-demokratisch nennende Partei in

1 Aufstand.

In Deutschland kämpft die Kommunistische Partei, sobald die Bourgeoisie revolutionär auftritt, gemeinsam mit der Bourgeoisie gegen die absolute Monarchie, das feudale Grundeigentum und die Kleinbürgerei.

Sie unterlässt aber keinen Augenblick, bei den Arbeitern ein möglichst klares Bewusstsein über den feindlichen Gegensatz zwischen[1] Bourgeoisie und Proletariat herauszuarbeiten, damit die deutschen Arbeiter sogleich die gesellschaftlichen und politischen Bedingungen, welche die Bourgeoisie mit ihrer Herrschaft herbeiführen muss, als ebenso viele Waffen gegen die Bourgeoisie kehren können, damit nach dem Sturz der reaktionären Klassen in Deutschland sofort der Kampf gegen die Bourgeoisie selbst beginnt.

Auf Deutschland richten die Kommunisten ihre Hauptaufmerksamkeit, weil Deutschland am Vorabend einer bürgerlichen Revolution steht und weil es diese Umwälzung unter fortgeschritteneren Bedingungen der europäischen Zivilisation überhaupt, und mit einem viel weiter entwickelten Proletariat vollbringt als England im 17. und Frankreich im 18. Jahrhundert, die deutsche bürgerliche Revolution also nur das unmittelbare Vorspiel einer proletarischen Revolution sein kann.

Mit einem Wort, die Kommunisten unterstützen überall jede revolutionäre Bewegung gegen die bestehenden gesellschaftlichen und politischen Zustände.

In allen diesen Bewegungen heben sie die Eigentumsfrage, welche mehr oder minder entwickelte Form sie auch ange-

Frankreich war die durch Ledru-Rollin politisch und durch Louis Blanc literarisch vertretene; sie war also himmelweit verschieden von der heutigen deutschen Sozialdemokratie. [*Anmerkung von Engels zur deutschen Ausgabe von 1890.*]

1 1848: von.

nommen haben möge, als die Grundfrage der Bewegung hervor.

Die Kommunisten arbeiten endlich überall an der Verbindung und Verständigung der demokratischen Parteien aller Länder.

Die Kommunisten verschmähen es, ihre Ansichten und Absichten zu verheimlichen. Sie erklären es offen, dass ihre Zwecke nur erreicht werden können durch den gewaltsamen Umsturz aller bisherigen Gesellschaftsordnung. Mögen die herrschenden Klassen vor einer kommunistischen Revolution zittern. Die Proletarier haben nichts in ihr zu verlieren als ihre Ketten. Sie haben eine Welt zu gewinnen.

Proletarier aller Länder, vereinigt euch!

Friedrich Engels
Grundsätze des Kommunismus

1. Frage: Was ist der Kommunismus?

Antwort: Der Kommunismus ist die Lehre von den Bedingungen der Befreiung des Proletariats.

2. F[rage]: Was ist das Proletariat?

A[ntwort]: Das Proletariat ist diejenige Klasse der Gesellschaft, welche ihren Lebensunterhalt einzig und allein aus dem Verkauf ihrer Arbeit und nicht aus dem Profit irgendeines Kapitals zieht; deren Wohl und Wehe, deren Leben und Tod, deren ganze Existenz von der Nachfrage nach Arbeit, also von dem Wechsel der guten und schlechten Geschäftszeiten, von den Schwankungen einer zügellosen Konkurrenz abhängt. Das Proletariat oder die Klasse der Proletarier ist, mit einem Worte, die arbeitende Klasse des 19. Jahrhunderts.

3. F[rage]: Es hat also nicht immer Proletarier gegeben?

A[ntwort]: Nein. Arme und arbeitende Klassen hat es immer gegeben; auch waren die arbeitenden Klassen meistens arm. Aber solche Arme, solche Arbeiter, die in den eben angegebenen Umständen lebten, also Proletarier, hat es nicht immer gegeben, ebenso wenig wie die Konkurrenz immer frei und zügellos war.

4. F[rage]: Wie ist das Proletariat entstanden?

A[ntwort]: Das Proletariat ist entstanden durch die industrielle Revolution, welche in der letzten Hälfte des vorigen Jahrhunderts in England vor sich ging und welche sich seitdem in allen zivilisierten Ländern der Welt wiederholt hat. Diese industrielle Revolution wurde herbeigeführt durch die Erfindung der Dampfmaschine, der verschiedenen Spinnmaschinen, des mechanischen Webstuhls und einer ganzen Reihe anderer mechanischer Vorrichtungen. Diese Maschinen, welche sehr teuer waren und also nur von großen Kapitalisten angeschafft werden konnten, veränderten die ganze bisherige Weise der Produktion und verdrängten die bisherigen Arbeiter, indem die Maschinen die Waren wohlfeiler[1] und besser lieferten, als die Arbeiter sie mit ihren unvollkommenen Spinnrädern und Webstühlen herstellen konnten. Diese Maschinen lieferten dadurch die Industrie gänzlich in die Hände der großen Kapitalisten und machten das wenige Eigentum der Arbeiter (Werkzeuge, Webstühle usw.) völlig wertlos, so dass die Kapitalisten bald alles in ihre Hände bekamen und die Arbeiter nichts übrigbehielten. Damit war in der Verfertigung von Kleidungsstoffen das Fabriksystem eingeführt. – Als der Anstoß zur Einführung der Maschinerie und des Fabriksystems einmal gegeben war, wurde dies System auch sehr bald auf alle übrigen Industriezweige, namentlich auf die Zeug- und Buchdruckerei, die Töpferei, die Metallwarenindustrie, angewandt. Die Arbeit wurde immer mehr unter die einzelnen Arbeiter geteilt, so dass der Arbeiter, der früher ein ganzes Stück Arbeit gemacht hatte, jetzt nur einen Teil dieses Stücks machte. Diese Teilung der Arbeit machte es möglich, dass die Produkte schneller und daher wohlfeiler geliefert werden konnten. Sie reduzierte die Tätigkeit eines jeden Arbeiters auf einen sehr einfachen, jeden Augenblick wiederholten mechanischen Handgriff, der nicht nur ebensogut, sondern noch viel besser durch eine Maschine gemacht werden konnte. Auf diese Weise gerieten alle diese Industriezweige, einer nach dem andern, unter die Herrschaft der Dampfkraft, der Maschinerie und des Fabriksystems, gerade wie die Spinnerei und

1 Mit niedrigerem Preis.

Weberei. Damit gerieten sie aber zugleich vollständig in die Hände der großen Kapitalisten, und den Arbeitern wurde auch hier der letzte Rest von Selbständigkeit entzogen. Allmählich gerieten außer der eigentlichen Manufaktur auch die Handwerke mehr und mehr unter die Herrschaft des Fabriksystems, indem auch hier große Kapitalisten durch Anlegung großer Ateliers, bei denen viele Kosten gespart werden und die Arbeit ebenfalls sehr geteilt werden kann, die kleinen Meister mehr und mehr verdrängten. So sind wir jetzt dahin gekommen, dass in den zivilisierten Ländern fast alle Arbeitszweige fabrikmäßig betrieben werden, dass fast in allen Arbeitszweigen das Handwerk und die Manufaktur durch die große Industrie verdrängt worden sind. – Dadurch ist der bisherige Mittelstand, besonders die kleinen Handwerksmeister, mehr und mehr ruiniert, die frühere Lage der Arbeiter gänzlich umgewälzt und zwei neue, allmählich alle übrigen verschlingenden Klassen geschaffen worden, nämlich:

I. Die Klasse der großen Kapitalisten, welche in allen zivilisierten Ländern schon jetzt fast ausschließlich im Besitz aller Lebensmittel und der zur Erzeugung der Lebensmittel nötigen Rohstoffe und Instrumente (Maschinen, Fabriken) sind. Dies ist die Klasse der Bourgeois oder die Bourgeoisie.

II. Die Klasse der gänzlich Besitzlosen, welche darauf angewiesen sind, den Bourgeois ihre Arbeit zu verkaufen, um dafür die zu ihrem Unterhalt nötigen Lebensmittel zu erhalten. Diese Klasse heißt die Klasse der Proletarier oder das Proletariat.

5. F[rage]: Unter welchen Bedingungen findet dieser Verkauf der Arbeit der Proletarier an die Bourgeois statt?

A[ntwort]: Die Arbeit ist eine Ware wie jede andere, und ihr Preis wird daher genau nach denselben Gesetzen bestimmt werden wie der jeder anderen Ware. Der Preis einer Ware unter der Herrschaft der großen Industrie oder der freien Konkurrenz, was, wie wir sehen werden, auf eins hinauskommt, ist aber im Durchschnitt immer gleich den Produktionskosten dieser Ware. Der Preis der Arbeit ist also ebenfalls gleich den Produktionskosten der Arbeit. Die Produktionskosten der Arbeit bestehen aber in gerade so viel Lebensmitteln, als nötig sind, um den Arbeiter in Stand zu setzen, arbeitsfähig zu bleiben und die Arbeiterklasse nicht aussterben zu lassen. Der Arbeiter wird also für seine Arbeit nicht mehr erhalten, als zu diesem Zwecke nötig ist; der Preis der Arbeit oder der Lohn wird also das Niedrigste, das Minimum sein, was zum Lebensunterhalt nötig ist. Da die Geschäftszeiten aber bald schlechter, bald besser sind, so wird er bald mehr, bald weniger bekommen, gerade wie der Fabrikant bald mehr, bald weniger für seine Ware bekommt. Aber ebenso wie der Fabrikant im Durchschnitt der guten und schlechten Geschäftszeiten doch nicht mehr und nicht weniger für seine Ware erhält als seine Produktionskosten, ebenso wird der Arbeiter im Durchschnitt auch nicht mehr und nicht weniger als eben dies Minimum erhalten. Dies ökonomische Gesetz des Arbeitslohns wird aber um so strenger durchgeführt werden, je mehr die große Industrie sich aller Arbeitszweige bemächtigt.

6. F[rage]: Welche Arbeiterklassen gab es vor der industriellen Revolution?

A[ntwort]: Die arbeitenden Klassen haben je nach den verschiedenen Entwickelungsstufen der Gesellschaft in verschiedenen Verhältnissen gelebt und verschiedene Stellungen zu den besitzenden und herrschenden Klassen gehabt. Im Altertum waren die Arbeitenden die *Sklaven* der Besitzer, wie sie es in vielen zurückgebliebenen Ländern und selbst in dem südlichen Teil der Vereinigten Staaten noch sind. Im Mittelalter waren sie die *Leibeigenen* des grundbesitzenden Adels, wie sie es noch jetzt in Ungarn, Polen und Russland sind. Im Mittelalter und bis zur industriellen Revolution gab es außerdem in den Städten Handwerksgesellen, die im Dienst kleinbürgerlicher Meister arbeiteten, und allmählich kamen auch mit der Entwickelung der Manufaktur Manufakturarbeiter auf, welche schon von größeren Kapitalisten beschäftigt wurden.

7. F[rage]: Wodurch unterscheidet sich der Proletarier vom Sklaven?

A[ntwort]: Der Sklave ist ein für allemal verkauft; der Proletarier muss sich täglich und stündlich selbst verkaufen. Der einzelne Sklave, Eigentum *eines* Herrn, hat schon durch das Interesse dieses Herrn eine gesicherte Existenz, so elend sie sein mag; der einzelne Proletarier, Eigentum sozusagen der ganzen Bourgeois*klasse*, dem seine Arbeit nur dann abgekauft wird, wenn jemand ihrer bedarf, hat keine gesicherte Existenz. Diese Existenz ist nur der ganzen Proletarier*klasse* gesichert. Der Sklave steht außerhalb der Konkurrenz, der Proletarier steht in ihr und fühlt alle ihre Schwankungen. Der Sklave gilt für eine Sache, nicht für ein Mitglied der bürgerlichen Gesellschaft; der Proletarier ist als Person, als Mitglied der bürgerlichen Gesellschaft anerkannt. Der Sklave kann also eine bessere Existenz haben als der Proletarier, aber der Proletarier gehört einer höheren Entwickelungsstufe der Gesellschaft an und steht selbst auf einer höheren Stufe als der Sklave. Der Sklave befreit sich, indem er von allen Privateigentumsverhältnissen nur das Verhältnis der Sklaverei aufhebt und dadurch selbst erst Proletarier wird; der Proletarier kann sich nur dadurch befreien, dass er das Privateigentum überhaupt aufhebt.

8. F[rage]: Wodurch unterscheidet sich der Proletarier vom Leibeigenen?

A[ntwort]: Der Leibeigene hat den Besitz und die Benutzung eines Produktionsinstrumentes, eines Stückes Boden, gegen Abgabe eines Teils des Ertrages oder gegen Leistung von Arbeit. Der Proletarier arbeitet mit Produktionsinstrumenten eines andern für Rechnung dieses andern, gegen Empfang eines Teils des Ertrages. Der Leibeigene gibt ab, dem Proletarier wird abgegeben. Der Leibeigene hat eine gesicherte Existenz, der Proletarier hat sie nicht. Der Leibeigene steht außerhalb der Konkurrenz, der Proletarier steht in ihr. Der Leibeigene befreit sich, entweder indem er in die Städte entläuft und dort Handwerker wird oder indem er statt Arbeit und Produkten Geld an seinen Gutsherrn gibt und freier Pächter wird, oder indem er seinen Feudalherrn verjagt und selbst Eigentümer wird, kurz, indem er auf eine oder die andere Weise in die besitzende Klasse und in die Konkurrenz eintritt. Der Proletarier befreit sich, indem er die Konkurrenz, das Privateigentum und alle Klassenunterschiede aufhebt.

9. F[rage]: Wodurch unterscheidet sich der Proletarier vom Handwerker?[1]

10. F[rage]: Wodurch unterscheidet sich der Proletarier vom Manufakturarbeiter?

A[ntwort]: Der Manufakturarbeiter des 16. bis 18. Jahrhunderts hatte fast überall noch ein Produktionsinstrument in seinem Besitz, seinen Webstuhl, die Spinnräder für seine Familie, ein kleines Feld, das er in Nebenstunden bebaute. Der Proletarier hat das alles nicht. Der Manufakturarbeiter lebt fast immer auf dem Lande und in mehr oder weniger patriarchalischen Verhältnissen mit seinem Gutsherrn oder Arbeitgeber; der Proletarier lebt meist in großen Städten und steht zu seinem Arbeitgeber in einem reinen Geldverhältnis. Der

1 Die Antwort auf diese Frage bleibt aus. Im Manuskript von Engels ist hier eine halbe Seite freigelassen.

Manufakturarbeiter wird durch die große Industrie aus seinen patriarchalischen Verhältnissen herausgerissen, verliert den Besitz, den er noch hatte, und wird dadurch selbst erst Proletarier.

11. F[rage]: Was waren die nächsten Folgen der industriellen Revolution und der Scheidung der Gesellschaft in Bourgeois und Proletarier?

A[ntwort]: Erstens wurde durch die infolge der Maschinenarbeit immer wohlfeiler werdenden Preise der Industrieerzeugnisse in allen Ländern der Welt das alte System der Manufaktur oder auf Handarbeit beruhenden Industrie gänzlich zerstört. Alle halbbarbarischen Länder, welche bisher mehr oder weniger der geschichtlichen Entwicklung fremd geblieben waren und deren Industrie bisher auf der Manufaktur beruht hatte, wurden hierdurch mit Gewalt aus ihrer Abschließung herausgerissen. Sie kauften die wohlfeileren Waren der Engländer und ließen ihre eigenen Manufakturarbeiter zugrunde gehen. So sind Länder, welche seit Jahrtausenden keinen Fortschritt gemacht haben, z.B. Indien, durch und durch revolutioniert worden, und selbst China geht jetzt einer Revolution entgegen. Es ist dahin gekommen, dass eine neue Maschine, die heute in England erfunden wird, binnen einem Jahre Millionen von Arbeitern in China außer Brot setzt. Auf diese Weise hat die große Industrie alle Völker der Erde miteinander in Verbindung gesetzt, alle kleinen Lokalmärkte zum Weltmarkt zusammengeworfen, überall die Zivilisation und den Fortschritt vorbereitet und es dahin gebracht, dass alles, was in den zivilisierten Ländern geschieht, auf alle anderen Länder zurückwirken muss. So dass, wenn jetzt in England oder Frankreich die Arbeiter sich befreien, dies in allen anderen Ländern Revolutionen nach sich ziehen muss, welche früher oder später ebenfalls die Befreiung der dortigen Arbeiter herbeiführen.

Zweitens hat sie überall, wo die große Industrie an die Stelle der Manufaktur trat, die Bourgeoisie, ihren Reichtum und ihre Macht im höchsten Grade entwickelt und sie zur ersten Klasse im Lande gemacht. Die Folge davon war, dass überall, wo dies geschah, die Bourgeoisie die politische Macht in ihre Hände bekam und die bisher herrschenden Klassen, die Aristokratie, die Zunftbürger und das beide vertretende absolute Königtum, verdrängte. Die Bourgeoisie vernichtete die Macht der Aristokratie, des Adels, indem sie die Majorate[1] oder die Unverkäuflichkeit des Grundbesitzes und alle Adelsvorrechte aufhob. Sie zerstörte die Macht der Zunftbürger, indem sie alle Zünfte und Handwerksprivilegien aufhob. An die Stelle beider setzte sie die freie Konkurrenz, d.h. den Zustand der Gesellschaft, worin jeder das Recht hat, jeden beliebigen Industriezweig zu betreiben, und worin ihn nichts an dem Betriebe eines solchen hindern kann als der Mangel des dazu nötigen Kapitals. Die Einführung der freien Konkurrenz ist also die öffentliche Erklärung, dass von nun an die Mitglieder der Gesellschaft nur noch insoweit ungleich sind, als ihre Kapitalien ungleich sind, dass das Kapital die entscheidende Macht und damit die Kapitalisten, die Bourgeois, die erste Klasse in der Gesellschaft geworden sind. Die freie Konkurrenz ist aber für den Anfang der großen Industrie notwendig, weil sie der einzige Gesellschaftszustand ist, in dem die große Industrie aufkommen kann. Die Bourgeoisie, nachdem sie so die gesellschaftliche Macht des Adels und der Zunftbürger vernichtet hatte, vernichtete auch ihre politische Macht. Wie sie sich in der Gesellschaft zur ersten Klasse erhoben hatte, proklamierte sie sich auch in politischer Form als erste Klasse. Sie tat dies durch die Einführung des Repräsentativsystems, welches auf der bürgerlichen Gleichheit vor dem Gesetz, der gesetzlichen

1 Vormachtstellungen.

Anerkennung der freien Konkurrenz beruht und in den europäischen Ländern unter der Form der konstitutionellen Monarchie eingeführt wurde. In diesen konstitutionellen Monarchien sind nur diejenigen Wähler, welche ein gewisses Kapital besitzen, also nur die Bourgeois. Diese Bourgeoiswähler wählen die Deputierten[1], und diese Bourgeoisdeputierten wählen vermittels des Rechts der Steuerverweigerung eine Bourgeoisregierung.

Drittens entwickelte sie überall das Proletariat in demselben Maße, wie sie die Bourgeoisie entwickelt. In demselben Verhältnis, wie die Bourgeois reicher wurden, in demselben Verhältnis wurden die Proletarier zahlreicher. Denn da die Proletarier nur durch das Kapital beschäftigt werden können und das Kapital sich nur dann vermehrt, wenn es Arbeiter beschäftigt, so hält die Vermehrung des Proletariats genau Schritt mit der Vermehrung des Kapitals. Zu gleicher Zeit zieht sie die Bourgeois so wie die Proletarier in großen Städten zusammen, in denen sich die Industrie am vorteilhaftesten betreiben lässt, und gibt durch diese Zusammenwerfung großer Massen auf *einen* Fleck den Proletariern das Bewusstsein ihrer Stärke. Ferner, je mehr sie sich entwickelt, je mehr neue Maschinen erfunden werden, welche die Handarbeit verdrängen, desto mehr drückt die große Industrie den Lohn, wie schon gesagt, auf sein Minimum herab und macht dadurch die Lage des Proletariats mehr und mehr unerträglich. So bereitet sie einerseits durch die wachsende Unzufriedenheit, andererseits durch die wachsende Macht des Proletariats eine Revolution der Gesellschaft durch das Proletariat vor.

1 Abgeordneten.

12. F[rage]: Was waren die weiteren Folgen der industriellen Revolution?

A[ntwort]: Die große Industrie schuf in der Dampfmaschine und den übrigen Maschinen die Mittel, die industrielle Produktion in kurzer Zeit und mit wenig Kosten ins unendliche zu vermehren. Die aus dieser großen Industrie notwendig hervorgehende freie Konkurrenz nahm bei dieser Leichtigkeit der Produktion sehr bald einen äußerst heftigen Charakter an; eine Menge Kapitalisten warfen sich auf die Industrie, und in kurzer Zeit wurde mehr produziert, als gebraucht werden konnte. Die Folge davon war, dass die fabrizierten Waren nicht verkauft werden konnten und dass eine sogenannte Handelskrisis eintrat. Die Fabriken mussten stillstehen, die Fabrikanten machten Bankerott, und die Arbeiter kamen außer Brot. Das größte Elend trat überall ein. Nach einiger Zeit waren die überflüssigen Produkte verkauft, die Fabriken fingen wieder an zu arbeiten, der Lohn stieg, und allmählich gingen die Geschäfte wieder besser als je. Aber nicht lange, so waren wieder zuviel Waren produziert, und eine neue Krisis trat ein, die gerade wieder denselben Verlauf nahm wie die vorige. So hat seit dem Anfange dieses Jahrhunderts der Zustand der Industrie fortwährend zwischen Epochen der Prosperität[1] und Epochen der Krise geschwankt, und fast regelmäßig alle fünf bis sieben Jahre ist eine solche Krisis eingetreten, welche jedesmal mit dem größten Elend der Arbeiter, mit allgemeiner revolutionärer Aufregung und mit der größten Gefahr für den ganzen bestehenden Zustand verknüpft war.

1 Gedeihen.

13. F[rage]: Was folgt aus diesen sich regelmäßig wiederholenden Handelskrisen?

A[ntwort]: Erstens: Dass die große Industrie, obwohl sie selbst in ihrer ersten Entwicklungsepoche die freie Konkurrenz erzeugt hat, jetzt dennoch der freien Konkurrenz entwachsen ist; dass die Konkurrenz und überhaupt der Betrieb der industriellen Produktion durch einzelne für sie eine Fessel geworden ist, welche sie sprengen muss und wird; dass die große Industrie, solange sie auf dem jetzigen Fuße betrieben wird, sich nur durch eine von sieben zu sieben Jahren sich wiederholende allgemeine Verwirrung erhalten kann, welche jedesmal die ganze Zivilisation bedroht und nicht nur die Proletarier ins Elend stürzt, sondern auch eine große Anzahl von Bourgeois ruiniert; dass also die große Industrie selbst entweder ganz aufgegeben werden muss, was eine absolute Unmöglichkeit ist, oder dass sie eine ganz neue Organisation der Gesellschaft durchaus notwendig macht, in welcher nicht mehr einzelne, einander Konkurrenz machende Fabrikanten, sondern die ganze Gesellschaft nach einem festen Plan und nach den Bedürfnissen aller die industrielle Produktion leitet.

Zweitens: Dass die große Industrie und die durch sie möglich gemachte Ausdehnung der Produktion ins unendliche einen Zustand der Gesellschaft möglich machen, in welchem so viel von allen Lebensbedürfnissen produziert wird, dass jedes Mitglied der Gesellschaft dadurch in den Stand gesetzt wird, alle seine Kräfte und Anlagen in vollständiger Freiheit zu entwickeln und zu betätigen. So dass also gerade diejenige Eigenschaft der großen Industrie, welche in der heutigen Gesellschaft alles Elend und alle Handelskrisen erzeugt, gerade dieselbe ist, welche unter einer anderen gesellschaftlichen Organisation eben dies Elend und diese unglückbereitenden Schwankungen vernichten wird.

So dass also aufs klarste bewiesen ist:

1. dass von jetzt an alle diese Übel nur der für die Verhältnisse nicht mehr passenden Gesellschaftsordnung zuzuschreiben sind und

2. dass die Mittel vorhanden sind, um durch eine neue Gesellschaftsordnung diese Übel gänzlich zu beseitigen.

14. F[rage]: Welcher Art wird diese neue Gesellschaftsordnung sein müssen?

A[ntwort]: Sie wird vor allen Dingen den Betrieb der Industrie und aller Produktionszweige überhaupt aus den Händen der einzelnen, einander Konkurrenz machenden Individuen nehmen und dafür alle diese Produktionszweige durch die ganze Gesellschaft, d.h. für gemeinschaftliche Rechnung, nach gemeinschaftlichem Plan und unter Beteiligung aller Mitglieder der Gesellschaft, betreiben lassen müssen. Sie wird also die Konkurrenz aufheben und die Assoziation an ihre Stelle setzen. Da nun der Betrieb der Industrie durch einzelne das Privateigentum zur notwendigen Folge hatte und die Konkurrenz weiter nichts ist als die Art und Weise des Betriebs der Industrie durch einzelne Privateigentümer, so ist das Privateigentum vom einzelnen Betrieb der Industrie und der Konkurrenz nicht zu trennen. Das Privateigentum wird also ebenfalls abgeschafft werden müssen, und an seine Stelle wird die gemeinsame Benutzung aller Produktionsinstrumente und die Verteilung aller Produkte nach gemeinsamer Übereinkunft oder die sogenannte Gütergemeinschaft treten. Die Abschaffung des Privateigentums ist sogar die kürzeste und bezeichnendste Zusammenfassung der aus der Entwicklung der Industrie notwendig hervorgehenden Umgestaltung der gesamten Gesellschaftsordnung und wird daher mit Recht von den Kommunisten als Hauptforderung hervorgehoben.

15. *F[rage]: Die Abschaffung des Privateigentums war also früher nicht möglich?*

A[ntwort]: Nein. Jede Veränderung in der gesellschaftlichen Ordnung, jede Umwälzung der Eigentumsverhältnisse ist die notwendige Folge der Erzeugung neuer Produktivkräfte gewesen, welche den alten Eigentumsverhältnissen sich nicht mehr fügen wollten. Das Privateigentum selbst ist so entstanden. Denn das Privateigentum hat nicht immer existiert, sondern, als gegen das Ende des Mittelalters in der Manufaktur eine neue Art der Produktion erschaffen wurde, welche sich dem damaligen feudalen und Zunfteigentum nicht unterordnen ließ, da erzeugte diese, den alten Eigentumsverhältnissen entwachsene Manufaktur eine neue Eigentumsform, das Privateigentum. Für die Manufaktur und für die erste Entwicklungsstufe der großen Industrie war aber keine andere Eigentumsform möglich als das Privateigentum, keine andre Gesellschaftsordnung als die auf dem Privateigentum beruhende. Solange nicht so viel produziert werden kann, dass nicht nur für alle genug vorhanden ist, sondern auch noch ein Überschuss von Produkten zur Vermehrung des gesellschaftlichen Kapitals und zur weiteren Ausbildung der Produktivkräfte bleibt, so lange muss es immer eine herrschende, über die Produktivkräfte der Gesellschaft verfügende, und eine arme, unterdrückte Klasse geben. Wie diese Klassen beschaffen sein werden, wird von der Entwickelungsstufe der Produktion abhängen. Das vom Landbau abhängige Mittelalter gibt uns den Baron und den Leibeigenen, die Städte des späteren Mittelalters zeigen uns den Zunftmeister und den Gesellen und Taglöhner, das 17. Jahrhundert hat den Manufakturisten und den Manufakturarbeiter, das 19. den großen Fabrikanten und den Proletarier. Es ist klar, dass bisher die Produktivkräfte noch nicht so weit entwickelt waren, dass für alle genug produziert werden konnte, und dass das Privateigentum für diese Produktivkräfte eine Fessel, eine Schranke geworden war. Jetzt aber, wo durch die Entwicklung der großen Industrie *erstens* Kapitalien und Produktivkräfte in einem nie vorher gekannten Maße erzeugt und die Mittel vorhanden sind, diese Produktivkräfte in kurzer Zeit ins unendliche zu vermehren; wo *zweitens* diese Produktivkräfte in den Händen weniger Bourgeois zusammengedrängt sind, während die große Masse des Volkes immer mehr zu Proletariern wird, während ihre Lage in demselben Maße elender und unerträglicher wird, in welchem die Reichtümer der Bourgeois sich vermehren; wo *drittens* diese gewaltigen und leicht zu vermehrenden Produktivkräfte so sehr dem Privateigentum und den Bourgeois über den Kopf gewachsen sind, dass sie jeden Augenblick die gewaltsamsten Störungen in der gesellschaftlichen Ordnung hervorrufen, jetzt erst ist die Aufhebung des Privateigentums nicht nur möglich, sondern sogar durchaus notwendig geworden.

16. F[rage]: Wird die Aufhebung des Privateigentums auf friedlichem Wege möglich sein?

A[ntwort]: Es wäre zu wünschen, dass dies geschehen könnte, und die Kommunisten wären gewiss die letzten, die sich dagegen auflehnen würden. Die Kommunisten wissen zu gut, dass alle Verschwörungen nicht nur nutzlos, sondern sogar schädlich sind. Sie wissen zu gut, dass Revolutionen nicht absichtlich und willkürlich gemacht werden, sondern dass sie überall und zu jeder Zeit die notwendige Folge von Umständen waren, welche von dem Willen und der Leitung einzelner Parteien und ganzer Klassen durchaus unabhängig sind. Sie sehen aber auch, dass die Entwicklung des Proletariats in fast allen zivilisierten Ländern gewaltsam unterdrückt und dass hierdurch von den Gegnern der Kommunisten auf eine Revolution mit aller Macht hingearbeitet wird. Wird hierdurch das unterdrückte Proletariat zuletzt in eine Revolution hineingejagt, so werden wir Kommunisten ebensogut mit der Tat wie jetzt mit dem Wort die Sache der Proletarier verteidigen.

17. F[rage]: Wird die Abschaffung des Privateigentums mit Einem Schlage möglich sein?

A[ntwort]: Nein, ebensowenig, wie sich mit *einem* Schlage die schon bestehenden Produktivkräfte soweit werden vervielfältigen lassen, als zur Herstellung der Gemeinschaft nötig ist. Die aller Wahrscheinlichkeit nach eintretende Revolution des Proletariats wird also nur allmählich die jetzige Gesellschaft umgestalten und erst dann das Privateigentum abschaffen können, wenn die dazu nötige Masse von Produktionsmitteln geschaffen ist.

18. F[rage]: Welchen Entwicklungsgang wird diese Revolution nehmen?

A[ntwort]: Sie wird vor allen Dingen eine *demokratische Staatsverfassung* und damit direkt oder indirekt die politische Herrschaft des Proletariats herstellen. Direkt in England, wo die Proletarier schon die Majorität des Volks ausmachen. Indirekt in Frankreich und Deutschland, wo die Majorität des Volkes nicht nur aus Proletariern, sondern auch aus kleinen Bauern und Bürgern besteht, welche eben erst im Übergang ins Proletariat begriffen sind und in allen ihren politischen Interessen mehr und mehr vom Proletariat abhängig werden und sich daher bald den Forderungen des Proletariats fügen müssen. Dies wird vielleicht einen zweiten Kampf kosten, der aber nur mit dem Siege des Proletariats endigen kann.

Die Demokratie würde dem Proletariat ganz nutzlos sein, wenn sie nicht sofort als Mittel zur Durchsetzung weiterer, direkt das Privateigentum angreifender und die Existenz des Proletariats sicherstellender Maßregeln benutzt würde. Die hauptsächlichsten dieser Maßregeln, wie sie sich schon jetzt als notwendige Folgen der bestehenden Verhältnisse ergeben, sind folgende:

1. Beschränkung des Privateigentums durch Progressivsteuern, starke Erbschaftssteuern, Abschaffung der Erbschaft der Seitenlinien (Brüder, Neffen etc.), Zwangsanleihen pp.

2. Allmähliche Expropriation[1] der Grundeigentümer, Fabrikanten, Eisenbahnbesitzer und Schiffsreeder, teils durch Konkurrenz der Staatsindustrie, teils direkt gegen Entschädigung in Assignaten.

3. Konfiskation[2] der Güter aller Emigranten und Rebellen gegen die Majorität des Volkes.

4. Organisation der Arbeit oder Beschäftigung der Proletarier auf den Nationalgütern, Fabriken und Werkstätten, wodurch die Konkurrenz der Arbeiter unter sich beseitigt und die Fabrikanten, solange sie noch bestehen, genötigt werden, denselben erhöhten Lohn zu zahlen wie der Staat.

5. Gleicher Arbeitszwang für alle Mitglieder der Gesellschaft bis zur vollständigen Aufhebung des Privateigentums. Bildung industrieller Armeen besonders für die Agrikultur.

6. Zentralisierung des Kreditsystems und Geldhandels in den Händen des Staates durch eine Nationalbank mit Staatskapital und Unterdrückung aller Privatbanken und Bankiers.

7. Vermehrung der Nationalfabriken, Werkstätten, Eisenbahnen und Schiffe, Urbarmachung aller Ländereien und Verbesserung der schon urbar gemachten, in demselben Verhältnis, in welchem sich die der Nation zur Verfügung stehenden Kapitalien und Arbeiter vermehren.

8. Erziehung sämtlicher Kinder von dem Augenblicke an, wo sie der ersten mütterlichen Pflege entbehren können, in

1 Enteignung.
2 Beschlagnahmung.

Nationalanstalten und auf Nationalkosten. Erziehung und Fabrikation zusammen.

9. Errichtung großer Paläste auf den Nationalgütern als gemeinschaftliche Wohnungen für Gemeinden von Staatsbürgern, welche sowohl Industrie wie Ackerbau treiben und die Vorteile sowohl des städtischen wie des Landlebens in sich vereinigen, ohne die Einseitigkeiten und Nachteile beider Lebensweisen zu teilen.

10. Zerstörung aller ungesunden und schlecht gebauten Wohnungen und Stadtviertel.

11. Gleiches Erbrecht für uneheliche wie eheliche Kinder.

12. Konzentration alles Transportwesens in den Händen der Nation.

Alle diese Maßregeln können natürlich nicht mit einem Male durchgeführt werden. Aber die eine wird immer die andre nach sich ziehen. Ist einmal der erste radikale Angriff gegen das Privateigentum geschehen, so wird das Proletariat sich gezwungen sehen, immer weiter zu gehen, immer mehr alles Kapital, allen Ackerbau, alle Industrie, allen Transport, allen Austausch in den Händen des Staates zu konzentrieren. Dahin arbeiten alle diese Maßregeln; und sie werden genau in demselben Verhältnis ausführbar werden und ihre zentralisierenden Konsequenzen entwickeln, in welchem die Produktivkräfte des Landes durch die Arbeit des Proletariats vervielfältigt werden. Endlich, wenn alles Kapital, alle Produktion und aller Austausch in den Händen der Nation zusammengedrängt sind, ist das Privateigentum von selbst weggefallen, das Geld überflüssig geworden und die Produktion so weit vermehrt und die Menschen so weit verändert, dass auch die letzten Verkehrsformen der alten Gesellschaft fallen können.

19. F[rage]: Wird diese Revolution in einem einzigen Lande allein vor sich gehen können?

A[ntwort]: Nein. Die große Industrie hat schon dadurch, dass sie den Weltmarkt geschaffen hat, alle Völker der Erde und namentlich die zivilisierten in eine solche Verbindung miteinander gebracht, dass jedes einzelne Volk davon abhängig ist, was bei einem andern geschieht. Sie hat ferner in allen zivilisierten Ländern die gesellschaftliche Entwicklung so weit gleichgemacht, dass in allen diesen Ländern Bourgeoisie und Proletariat die beiden entscheidenden Klassen der Gesellschaft, der Kampf zwischen beiden der Hauptkampf des Tages geworden. Die kommunistische Revolution wird daher keine bloß nationale, sie wird eine in allen zivilisierten Ländern, d.h. wenigstens in England, Amerika, Frankreich und Deutschland gleichzeitig vor sich gehende Revolution sein. Sie wird sich in jedem dieser Länder rascher oder langsamer entwickeln, je nachdem das eine oder das andre Land eine ausgebildetere Industrie, einen größeren Reichtum, eine bedeutendere Masse von Produktivkräften besitzt. Sie wird daher in Deutschland am langsamsten und schwierigsten, in England am raschesten und leichtesten durchzuführen sein. Sie wird auf die übrigen Länder der Welt ebenfalls eine bedeutende Rückwirkung ausüben und ihre bisherige Entwicklungsweise gänzlich verändern und sehr beschleunigen. Sie ist eine universelle Revolution und wird daher auch ein universelles Terrain haben.

20. F[rage]: Was werden die Folgen der schließlichen Beseitigung des Privateigentums sein?

A[ntwort]: Dadurch, dass die Gesellschaft die Benutzung sämtlicher Produktivkräfte und Verkehrsmittel sowie den Austausch und die Verteilung der Produkte den Händen der Privatkapitalisten entnimmt und nach einem aus den vorhandenen Mitteln und den Bedürfnissen der ganzen Gesellschaft sich ergebenden Plan verwaltet, werden vor allen Dingen alle schlimmen Folgen beseitigt, welche jetzt noch mit dem Betrieb der großen Industrie verknüpft sind. Die Krisen fallen weg; die ausgedehnte Produktion, welche für die jetzige Ordnung der Gesellschaft eine Überproduktion und eine so mächtige Ursache des Elends ist, wird dann nicht einmal hinreichen und noch viel weiter ausgedehnt werden müssen. Statt Elend herbeizuführen, wird die Überproduktion über die nächsten Bedürfnisse der Gesellschaft hinaus die Befriedigung der Bedürfnisse aller sicherstellen, neue Bedürfnisse und zugleich die Mittel, sie zu befriedigen, erzeugen. Sie wird die Bedingung und Veranlassung neuer Fortschritte sein, sie wird diese Fortschritte zustande bringen, ohne dass dadurch, wie bisher jedesmal, die Gesellschaftsordnung in Verwirrung gebracht werde. Die große Industrie, befreit von dem Druck des Privateigentums, wird sich in einer Ausdehnung entwickeln, gegen die ihre jetzige Ausbildung ebenso kleinlich erscheint wie die Manufaktur gegen die große Industrie unserer Tage. Diese Entwicklung der Industrie wird der Gesellschaft eine hinreichende Masse von Produkten zur Verfügung stellen, um damit die Bedürfnisse aller zu befriedigen. Ebenso wird der Ackerbau, der auch durch den Druck des Privateigentums und der Parzellierung[1] daran verhindert wird, sich die schon gemachten Verbesserungen und wissenschaftlichen Entwicklungen anzueignen, einen ganz neuen Aufschwung nehmen und der Gesellschaft eine vollständig hinreichende Menge von Produkten zur Verfügung stellen. Auf diese Weise wird die Gesellschaft Produkte genug hervorbringen, um die Verteilung so einrichten zu können, dass die Bedürfnisse aller Mitglieder befriedigt werden. Die Trennung der Gesellschaft in verschiedene, ein-

1 Aufteilung in kleinere Flächen.

ander entgegengesetzte Klassen wird hiermit überflüssig. Sie wird aber nicht nur überflüssig, sie ist sogar unverträglich mit der neuen Gesellschaftsordnung. Die Existenz der Klassen ist hervorgegangen aus der Teilung der Arbeit, und die Teilung der Arbeit in ihrer bisherigen Weise fällt gänzlich weg. Denn um die industrielle und Ackerbauproduktion auf die geschilderte Höhe zu bringen, genügen die mechanischen und chemischen Hilfsmittel nicht allein; die Fähigkeiten der diese Hilfsmittel in Bewegung setzenden Menschen müssen ebenfalls in entsprechendem Maße entwickelt sein. Ebenso wie die Bauern und Manufakturarbeiter des vorigen Jahrhunderts ihre ganze Lebensweise veränderten und selbst ganz andere Menschen wurden, als sie in die große Industrie hineingerissen wurden, ebenso wird der gemeinsame Betrieb der Produktion durch die ganze Gesellschaft und die daraus folgende neue Entwicklung der Produktion ganz andere Menschen bedürfen und auch erzeugen. Der gemeinsame Betrieb der Produktion kann nicht durch Menschen geschehen wie die heutigen, deren jeder einem einzigen Produktionszweig untergeordnet, an ihn gekettet, von ihm ausgebeutet ist, deren jeder nur *eine* seiner Anlagen auf Kosten aller anderen entwickelt hat, nur *einen* Zweig oder nur den Zweig eines Zweiges der Gesamtproduktion kennt. Schon die jetzige Industrie kann solche Menschen immer weniger gebrauchen. Die gemeinsam und planmäßig von der ganzen Gesellschaft betriebene Industrie setzt vollends Menschen voraus, deren Anlagen nach allen Seiten hin entwickelt sind, die imstande sind, das gesamte System der Produktion zu überschauen. Die durch die Maschinen schon jetzt untergrabene Teilung der Arbeit, die den einen zum Bauern, den anderen zum Schuster, den dritten zum Fabrikarbeiter, den vierten zum Börsenspekulanten macht, wird also gänzlich verschwinden. Die Erziehung wird die jungen Leute das ganze System der Produktion rasch durchmachen lassen können, sie wird sie in Stand setzen, der Reihe nach von einem zum andern Produktionszweig überzugehen, je nachdem die Bedürfnisse der Gesellschaft oder ihre eigenen Neigungen sie dazu veranlassen. Sie wird ihnen also den einseitigen Charakter nehmen, den die jetzige Teilung der Arbeit jedem einzelnen aufdrückt. Auf diese Weise wird die kommunistisch organisierte Gesellschaft ihren Mitgliedern Gelegenheit geben, ihre allseitig entwickelten Anlagen allseitig zu betätigen. Damit aber verschwinden notwendig auch die verschiedenen Klassen. So dass die kommunistisch organisierte Gesellschaft einerseits mit dem Bestand der Klassen unverträglich ist und andrerseits die Herstellung dieser Gesellschaft selbst die Mittel bietet, diese Klassenunterschiede aufzuheben.

Es geht hieraus hervor, dass der Gegensatz zwischen Stadt und Land ebenfalls verschwinden wird. Der Betrieb des Ackerbaues und der Industrie durch dieselben Menschen, statt durch zwei verschiedene Klassen, ist schon aus ganz materiellen Ursachen eine notwendige Bedingung der kommunistischen Assoziation. Die Zersplitterung der ackerbauenden Bevölkerung auf dem Lande, neben der Zusammendrängung der industriellen in den großen Städten, ist ein Zustand, der nur einer noch unentwickelten Stufe des Ackerbaues und der Industrie entspricht, ein Hindernis aller weiteren Entwickelung, das schon jetzt sehr fühlbar wird.

Die allgemeine Assoziation aller Gesellschaftsmitglieder zur gemeinsamen und planmäßigen Ausbeutung der Produktionskräfte, die Ausdehnung der Produktion in einem Grade, dass sie die Bedürfnisse aller befriedigen wird, das Aufhören des Zustandes, in dem die Bedürfnisse der einen auf Kosten der andern befriedigt werden, die gänzliche Vernichtung der Klassen und ihrer Gegensätze, die allseitige Entwickelung der Fähigkeiten aller Gesellschaftsmitglieder durch die Beseitigung der bisherigen Teilung der Arbeit, durch die industrielle Erziehung, durch den Wechsel der Tätigkeit, durch die Teilnahme aller an den durch alle erzeugten Genüssen, durch die Verschmelzung von Stadt und Land – das sind die Hauptresultate der Abschaffung des Privateigentums.

21. F[rage]: Welchen Einfluss wird die kommunistische Gesellschaftsordnung auf die Familie ausüben?

A[ntwort]: Sie wird das Verhältnis der beiden Geschlechter zu einem reinen Privatverhältnis machen, welches nur die beteiligten Personen angeht und worin sich die Gesellschaft nicht zu mischen hat. Sie kann dies, da sie das Privateigentum beseitigt und die Kinder gemeinschaftlich erzieht und dadurch die beiden Grundlagen der bisherigen Ehe, die Abhängigkeit des Weibes vom Mann und der Kinder von den Eltern vermittelst des Privateigentums, vernichtet. Hierin liegt auch die Antwort auf das Geschrei hochmoralischer Spießbürger gegen kommunistische Weibergemeinschaft. Die Weibergemeinschaft ist ein Verhältnis, was ganz der bürgerlichen Gesellschaft angehört und heutzutage in der Prostitution vollständig besteht. Die Prostitution beruht aber auf dem Privateigentum und fällt mit ihm. Die kommunistische Organisation also, statt die Weibergemeinschaft einzuführen, hebt sie vielmehr auf.

22. F[rage]: Wie wird die kommunistische Organisation sich zu den bestehenden Nationalitäten verhalten?

– bleibt[1]

23. F[rage]: Wie wird sie sich zu den bestehenden Religionen verhalten?

– bleibt[2]

1 Vgl. hier S. 114.
2 Vgl. hier S. 114.

24. F[rage]: Wie unterscheiden sich die Kommunisten von den Sozialisten?

A[ntwort]: Die sogenannten Sozialisten teilen sich in drei Klassen.

Die erste Klasse besteht aus Anhängern der feudalen und patriarchalischen Gesellschaft, welche durch die große Industrie, den Welthandel und die durch beide geschaffene Bourgeoisgesellschaft vernichtet worden ist und noch täglich vernichtet wird. Diese Klasse zieht aus den Übeln der jetzigen Gesellschaft den Schluss, dass die feudale und patriarchalische Gesellschaft wiederhergestellt werden müsse, weil sie von diesen Übeln frei war. Alle ihre Vorschläge gehen auf graden oder krummen Wegen diesem Ziele zu. Diese Klasse *reaktionärer* Sozialisten wird trotz ihrer angeblichen Teilnahme und heißen Tränen für das Elend des Proletariats dennoch stets von den Kommunisten energisch angegriffen werden, denn

1. erstrebt sie etwas rein Unmögliches;

2. sucht sie die Herrschaft der Aristokratie, der Zunftmeister und Manufakturisten mit ihrem Gefolge von absoluten oder feudalen Königen, Beamten, Soldaten und Pfaffen herzustellen, eine Gesellschaft, die zwar von den Übelständen der jetzigen Gesellschaft frei war, dafür aber wenigstens ebensoviel andere Übel mit sich führte und nicht einmal die Aussicht auf die Befreiung der unterdrückten Arbeiter durch eine kommunistische Organisation darbot;

3. kehrt sie ihre wirklichen Absichten jedesmal heraus, wenn das Proletariat revolutionär und kommunistisch wird, wo sie sich dann sogleich mit der Bourgeoisie gegen die Proletarier verbündet.

Die zweite Klasse besteht aus Anhängern der jetzigen Gesellschaft, welchen die aus dieser notwendig hervorgehenden Übel Befürchtungen für den Bestand dieser Gesellschaft erweckt haben. Sie streben also danach, die jetzige Gesellschaft beizubehalten, aber die mit ihr verbundenen Übel zu beseitigen. Zu diesem Zweck schlagen die einen bloße Wohltätigkeitsmaßregeln vor, die anderen großartige Reformsysteme, welche unter dem Vorwand, die Gesellschaft zu reorganisieren, die Grundlagen der jetzigen Gesellschaft und damit die jetzige Gesellschaft beibehalten wollen. Diese *Bourgeoissozialisten* werden ebenfalls von den Kommunisten fortwährend bekämpft werden müssen, denn sie arbeiten für die Feinde der Kommunisten und verteidigen die Gesellschaft, welche die Kommunisten gerade stürzen wollen.

Die dritte Klasse endlich besteht aus demokratischen Sozialisten, welche auf demselben Wege wie die Kommunisten einen Teil der in Frage [18] angegebenen Maßregeln wollen, aber nicht als Übergangsmittel zum Kommunismus, sondern als Maßregeln, welche hinreichend sind, um das Elend aufzuheben, die Übel der jetzigen Gesellschaft verschwinden zu machen. Diese *demokratischen Sozialisten* sind entweder Proletarier, die über die Bedingungen der Befreiung ihrer Klasse noch nicht hinreichend aufgeklärt sind, oder sie sind Repräsentanten der Kleinbürger, einer Klasse, welche bis zur Erringung der Demokratie und der aus ihr hervorgehenden sozialistischen Maßregeln in vieler Beziehung dasselbe Interesse haben wie die Proletarier. Die Kommunisten werden deshalb in den Momenten der Handlung sich mit diesen demokratischen Sozialisten zu verständigen und überhaupt mit ihnen für den Augenblick möglichst gemeinsame Politik zu befolgen haben, sofern diese Sozialisten nicht in den Dienst der herrschenden Bourgeoisie treten und die Kommunisten angreifen. Dass diese gemeinsame Handlungsweise die Diskussion der Differenzen mit ihnen nicht ausschließt, ist klar.

25. F[rage]: Wie verhalten sich die Kommunisten zu den übrigen politischen Parteien unserer Zeit?

A[ntwort]: Dies Verhältnis ist verschieden in den verschiedenen Ländern. – In England, Frankreich und Belgien, wo die Bourgeoisie herrscht, haben die Kommunisten vorderhand noch ein gemeinsames Interesse mit den verschiedenen demokratischen Parteien, und zwar ein um so größeres, je mehr die Demokraten sich in den jetzt überall von ihnen vertretenen sozialistischen Maßregeln dem Ziele der Kommunisten nähern, d.h., je deutlicher und bestimmter sie die Interessen des Proletariats vertreten und je mehr sie sich auf das Proletariat stützen. In *England* z.B. stehen die aus Arbeitern bestehenden Chartisten[1] den Kommunisten unendlich näher als die demokratischen Kleinbürger oder sogenannten Radikalen.

In *Amerika*, wo die demokratische Verfassung eingeführt ist, werden die Kommunisten sich mit der Partei halten müssen, welche diese Verfassung gegen die Bourgeoisie wenden und im Interesse des Proletariats benutzen will, d.h. mit den agrarischen Nationalreformers.

In der *Schweiz* sind die Radikalen, obwohl selbst eine noch sehr gemischte Partei, dennoch die einzigen, mit welchen die Kommunisten sich einlassen können, und unter diesen Radikalen sind wieder die waadtländischen und Genfer die am weitesten fortgeschrittenen.

In *Deutschland* endlich steht der entscheidende Kampf zwischen der Bourgeoisie und der absoluten Monarchie erst bevor. Da aber die Kommunisten nicht eher auf den entscheidenden Kampf zwischen ihnen selbst und der Bourgeoisie rechnen können, als bis die Bourgeoisie herrscht, so ist es das Interesse

1 Wahlreformbewegung in Großbritannien (benannt nach der 1838 im britischen Unterhaus formulierten »People's Charter«).

der Kommunisten, die Bourgeois so bald als möglich an die Herrschaft bringen zu helfen, um sie so bald wie möglich wieder zu stürzen. Die Kommunisten müssen also, gegenüber den Regierungen, stets für die liberalen Bourgeois Partei ergreifen und sich nur davor hüten, die Selbsttäuschungen der Bourgeois zu teilen oder ihren verführerischen Versicherungen von den heilsamen Folgen des Siegs der Bourgeoisie für das Proletariat Glauben zu schenken. Die einzigen Vorteile, welche der Sieg der Bourgeoisie den Kommunisten bieten wird, werden bestehen: 1. in verschiedenen Konzessionen, welche den Kommunisten die Verteidigung, Diskussion und Verbreitung ihrer Grundsätze und damit die Vereinigung des Proletariats zu einer eng verbündeten, kampfbereiten und organisierten Klasse erleichtern; und 2. in der Gewissheit, dass von dem Tage, wo die absoluten Regierungen fallen, der Kampf zwischen Bourgeois und Proletariern an die Reihe kommt. Von diesem Tage an wird die Parteipolitik der Kommunisten dieselbe sein wie in den Ländern, wo die Bourgeoisie jetzt schon herrscht.

Zu dieser Ausgabe

Der Band folgt der Ausgabe der Marx-Engels-Werke (MEW), herausgegeben vom Institut für Marxismus-Leninismus beim ZK der SED, Bd. 4, Berlin: Dietz Verlag, 1974:

Vorwort [zur deutschen Ausgabe des »Manifestes der Kommunistischen Partei« von 1872] S. 573 f.
Vorrede [zur russischen Ausgabe von 1882] S. 575 f.
Vorwort [zur deutschen Ausgabe von 1883] S. 577
Vorrede [zur englischen Ausgabe von 1888] S. 578–582
Vorwort [zur deutschen Ausgabe von 1890] S. 583–586
Vorwort [zur polnischen Ausgabe von 1892] S. 587 f.
An den italienischen Leser S. 589 f.
Manifest der Kommunistischen Partei S. 459–493
Grundsätze des Kommunismus S. 361–380

Der Textfassung des *Manifestes der Kommunistischen Partei* in der MEW-Ausgabe liegt der Text der letzten von Friedrich Engels besorgten deutschen Ausgabe von 1890 zugrunde. In den Fußnoten werden die verschiedenen Formulierungen der deutschen Ausgaben von 1848, 1872 und 1883 vermerkt, soweit sie den Inhalt berühren.

Orthographie und Interpunktion wurden behutsam modernisiert. Die Originalfußnoten werden mit * notiert, die Herausgeberkommentare mit arabischen Ziffern

Zu den Autoren und den Werken

Das »Manifest« von Karl Marx (1818–1883) und Friedrich Engels (1820–1895) ist einer der wirkungsmächtigsten Texte in der Geschichte der Menschheit (entsprechend wurde er 2013 in das UNESCO-Dokumentenerbe aufgenommen). Er erschien in London im Februar 1848 – zu spät, um noch Einfluss auf die 1848er Revolutionen nehmen, zu früh, um die entsprechenden Bewegungen verarbeiten zu können. So blieb er denn auch zuerst relativ wirkungslos. Erschwerend kam hinzu, dass seine klare Diktion und die harschen Thesen so völlig anders klangen als etwa Verlautbarungen des von Marx angegriffenen »utopischen Sozialismus«, die sich eher in moralischen Appellen und gemäßigten Forderungen genügten. Letztlich will das »Manifest« dabei nicht den Kommunismus verteidigen, sondern tritt mit einer Siegesgewissheit für dessen Umsetzung ein (diese Sicherheit ging nach den Misserfolgen des Jahres 1848 eher verloren).

Engels weilte seit April 1845 in Brüssel (Marx war unter dem Druck Preußens von der französischen Regierung aus Frankreich ausgewiesen worden und nach Belgien gezogen, aus dem er dann 1848 wiederum ausgewiesen wurde). 1847 definierte Engels kurz vor der Veröffentlichung in einer ähnlichen Form wie im berühmten, 1529 erschienenen Katechismus Martin Luthers (1483–1546), der über ein Frage-und-Antwort-Spiel in den christlichen Glauben einzuführen versucht, in 25 Fragen und Antworten, was denn der Kommunismus sei (in der Tatsache, dass die Fragen 9, 22 und 23 nicht ausgeführt sind, bzw. im dortigen »Bleibt« wird deutlich, dass Engels eine fremde Vorlage bearbeitete). Marx begriff seine Rolle als eine ganz andere, sah er sich doch als »Geburtshelfer der Revolution«, die unweigerlich eintreten würde (S. 55):

> Die theoretischen Sätze der Kommunisten beruhen keineswegs auf Ideen, auf Prinzipien, die von diesem oder jenem Weltverbesserer erfunden oder entdeckt sind. – Sie sind nur allgemeine Ausdrücke tatsächlicher Verhältnisse eines existierenden Klassenkampfes, einer unter unsern Augen vor sich gehenden geschichtlichen Bewegung.

Ziel ist eine radikale Demokratie (S. 66):

> An die Stelle der alten bürgerlichen Gesellschaft mit ihren Klassen und Klassengegensätzen tritt eine Assoziation, worin die freie Entwicklung eines jeden die Bedingung für die freie Entwicklung aller ist.

Das Manifest endet entsprechend mit dem berühmten Aufruf »Proletarier aller Länder, vereinigt euch!« (S. 84).

Im Manifest selbst werden einzelne Argumente gegen den Kommunismus diskutiert: Der Kapitalismus habe bereits für neun Zehntel der Bevölkerung das Eigentum abgeschafft, dem Kommunismus dies vorzuwerfen sei also Augenwischerei, zumal dieser der Gesamtheit das Eigentum an den Produktionsmitteln zurückgeben werde. Auch sei die Familie als Institution bereits aufgelöst worden. Ähnlich absurd sei also auch der Vorwurf an den Kommunismus, die Prostitution zu fördern, da diese ein Ergebnis der Verarmung sei. Auch seien im System der Weltwirtschaft die Landesgrenzen überflüssig geworden: Im Zuge der Weltwirtschaft sei eine »allseitige Abhängigkeit der Nationen voneinander« (S. 42) zu beobachten. Man könne also dem Kommunismus deshalb auch schlecht vorwerfen, er verteufele das Vaterland. Mit scharfem Blick analysiert Marx in kürzester Form, wie die industrielle Revolution und der Einzug der Technik (Dampfmaschine, Kommunikationstechnologien) die Wirklichkeit bereits radikal verändert hatten. Der Bourgeoisie sei es gelungen, die Gesellschaft in zwei Lager zu spalten, nämlich in die der großen Masse der Lohnarbeiter und die der wenigen Großkapitalisten, nämlich die Bourgeoisie selbst (S. 37):

> Unsere Epoche, die Epoche der Bourgeoisie, zeichnet sich [...] dadurch aus, dass sie die Klassengegensätze vereinfacht hat. Die ganze Gesellschaft spaltet sich mehr und mehr in zwei große feindliche Lager, in zwei große, einander direkt gegenüberstehende Klassen: Bourgeoisie und Proletariat.

Die Bourgeoisie bzw. die Großkapitalisten seien für den gewaltigen Zuwachs an Produktivkräften verantwortlich, wie Marx beeindruckt ausführt (S. 43):

> Die Bourgeoisie hat in ihrer kaum hundertjährigen Klassenherrschaft massenhaftere und kolossalere Produktionskräfte geschaffen als alle vergangenen Generationen zusammen. Unterjochung der Naturkräfte, Maschinerie, Anwendung der Chemie auf Industrie und Ackerbau, Dampfschifffahrt, Eisenbahnen, elektrische Telegrafen, Urbarmachung ganzer Weltteile, Schiffbarmachung der Flüsse, ganze aus dem Boden hervorgestampfte Bevölkerungen – welches frühere Jahrhundert ahnte, dass solche Produktionskräfte im Schoß der gesellschaftlichen Arbeit schlummerten.

Doch die »Bourgeoisie hat [...] die Waffen geschmiedet, die ihr den Tod bringen« (S. 45): Die einst angesehenen Handwerksberufe haben ihr Ansehen verloren. Es regiert nur noch das nackte Selbstinteresse: Alles ist zur Ware geworden. Doch ist diese Vereinfachung auch von Nutzen: Es wird offensichtlich, was es zu überwinden gilt. Der Lohnarbeiter erkennt nun umso leichter, dass alle Geschichte eine Geschichte solcher Klassenkämpfe sei. In diesem Kampf nutzen ihm die modernen

Erfindungen wie moderne Kommunikationsmittel oder Verkehrsmittel sogar. Nur eine Verbindung der Proletarier aller Länder könne helfen (S. 53 f.):

> Die wesentliche Bedingung für die Existenz und für die Herrschaft der Bourgeoisklasse ist die Anhäufung des Reichtums in den Händen von Privaten, die Bildung und Vermehrung des Kapitals; die Bedingung des Kapitals ist die Lohnarbeit. Die Lohnarbeit beruht ausschließlich auf der Konkurrenz der Arbeiter unter sich. Der Fortschritt der Industrie, dessen willenloser und widerstandsloser Träger die Bourgeoisie ist, setzt an die Stelle der Isolierung der Arbeiter durch die Konkurrenz ihre revolutionäre Vereinigung durch die Assoziation.

Zu einer dauerhaften Verbindung der Arbeiter ist es bis heute nicht gekommen: In den westlichen Industrienationen hat etwa eine gezielte Sozialpolitik der Verelendung entgegengewirkt und so die Klassengegensätze entschärft (obwohl die Schere zwischen Arm und Reich immer weiter auseinanderklafft). Doch sind viele von Marx' Ansichten weiterhin ebenso fruchtbar wie provozierend: Allein seine Bemerkungen über die »Epidemie der Überproduktion« gehören ins Stammbuch eines jeden Politikers und eines jeden Verbrauchers geschrieben (S. 45):

> Die bürgerlichen Verhältnisse sind zu eng geworden, um den von ihnen erzeugten Reichtum zu fassen. – Wodurch überwindet die Bourgeoisie die Krisen? Einerseits durch die erzwungene Vernichtung einer Masse von Produktivkräften; anderseits durch die Eroberung neuer Märkte und die gründlichere Ausbeutung alter Märkte. Wodurch also? Dadurch, dass sie allseitigere und gewaltigere Krisen vorbereitet und die Mittel, den Krisen vorzubeugen, vermindert.